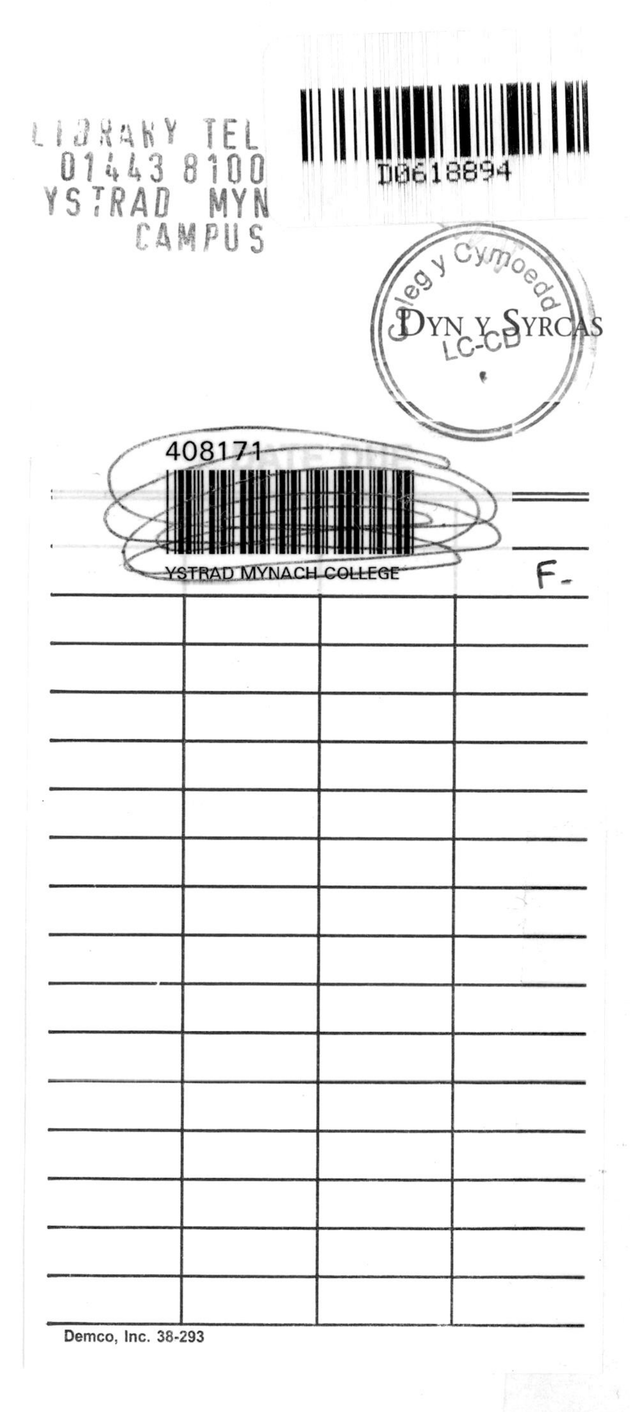

Dyn y Syrcas

DERFEL WILLIAMS

I Mam a Dad – diolch am bob cefnogaeth,
a diolch am adael i mi fynd!

ISBN: 9781847710352 (1847710352)

Mae'r cynllun Stori Sydyn yn fenter ar y cyd rhwng Sgiliau Sylfaenol Cymru a Chyngor Llyfrau Cymru. Ariennir y llyfrau gan Sgiliau Sylfaenol Cymru fel rhan o Strategaeth Genedlaethol Sgiliau Sylfaenol Cymru ar ran Llywodraeth Cynulliad Cymru.

Argaffwyd a chyhoeddwyd gan
Y Lolfa, Talybont, Ceredigion SY24 5AP.
gwefan www.ylolfa.com
e-bost ylolfa@ylolfa.com
ffôn 01970 832 304
ffacs 832782

CYNNWYS

PENNOD 1

CODI AWYDD

WYTH OED OEDDWN I pan welais i bwdl du yn dreifio lorri i lawr y Stryd Fawr ym Mhorthmadog. Roeddwn i wedi mynd efo 'Nhad i brynu papur Sul ar y ffordd adra o'r capel. Tra oedd Dad yn y siop, dyma lorri fawr yn dod rownd y gornel. Edrychais i mewn i'r cab ac roedd pwdl bach du yn edrych 'nôl arna i. Arafodd y lorri a sylweddolais mai lorri o dramor oedd yno a'r pwdl, wrth gwrs, yn eistedd yn sedd y pasinjyr.

Roedd y lorri'n tynnu clamp o garafán ac wedi troi lawr Stryd yr Wyddfa, mi stopiodd a neidiodd y gyrrwr allan. Merch ifanc bert! Ei gwallt coch cyrliog wedi'i glymu'n ôl gan sgarff liwgar. Sut yn y byd sylwais i ar y baw oedd wedi casglu o dan ei hewinedd hir, pinc, wn i ddim!

'Dyma'r ffordd i'r Traeth?' gofynnodd. Roedd un o'r cyrls gwyllt wedi dianc dan y sgarff.

'Ia,' atebais, braidd yn swil ac yn nerfus o orfod siarad Saesneg. 'Ewch yn syth i lawr y ffordd yma ac mae'r Traeth ar yr ochr dde.' Roedd hi'n broblem cofio'r Saesneg am y dde a'r chwith.

'Diolch, cariad,' atebodd a neidio'n ôl i mewn i gab y lorri.

Erbyn hyn roedd y pwdl wedi dechra cyfarth a gwaeddodd y ferch, '*Shut up*!' Yna, agorodd y ffenest a rhoi darn o bapur i mi.

'Tyrd â dy ffrindia efo chdi,' medda hi cyn gweiddi eto ar y ci a chychwyn y lorri. Edrychais ar y darn papur a gweld, '*Fossett Brothers Circus in town now*'. Wrth gwrs, dyma'r syrcas oedd yn dod i'r Traeth. Rŵan dyma wahoddiad i fynd yna gan berchennog y pwdl du.

Pan godais y bore wedyn, dringais i ben y radiator yn y bathrwm i gael cip ar y babell fawr. Roedd hi fel myshyrŵm mawr gwyrdd yn y pellter a'r Ddraig Goch yn chwifio ar y polion uchel. Yn syth ar ôl brecwast, rhedais draw i'r Traeth i gael gweld beth oedd yn digwydd yno go iawn. O rywle, roedd pentref o garafannau a lorïau o bob lliw a llun wedi ymddangos dros nos. Ac yn y canol, y babell fawr.

Gosod pethau yn eu lle roedd pobol y syrcas. Hyd yn oed yn eu dillad gwaith roedden nhw'n bobl egsotig. Yna gwelais wraig mor hen â Methusela yn straffaglu i gario bwcedi o ddŵr i'r ceffylau oedd yn pori ar y Traeth. Roedd ei gwallt llwyd yn chwythu'n wyllt yn y gwynt a'i choesau'n denau, denau a'r ddau fwced mor drwm. Ac yn y pellter, sŵn y pwdl yn cyfarth. Pwy ddaeth nesa ond y ferch gwallt coch cyrliog yn gweiddi ordors ar hwn a'r llall ac arall. Arhosais yno am amser maith yn llygaid i gyd.

Yn araf bach es yn agosach at y babell fawr. I mewn â fi o dan y canfas gwyrdd. Popeth yn dawel a thywyll. Tywyll achos 'mod i o dan y seddi pren uchel roedd dau ddyn yn eu rhoi yn eu lle mewn cylch. Yn y babell roedd arogl gwahanol iawn – arogl llwch lli, gwellt ac arogl y canfas. Yno, yn y tywyllwch, yn sŵn y *generator* yn y cefndir, penderfynais mai perfformiwr syrcas roeddwn i am fod. Roeddwn i am fod yn un ohonyn nhw, yn perthyn i'r gymdeithas arbennig yma, yn perthyn i fyd y syrcas.

Y noson honno aeth fy nhad â fi i weld y sioe. Roedd y babell fawr rŵan yn llawn goleuadau. Ond roedd yr arogl yn dal yno, wedi'i gymysgu ag arogl cŵn poeth a nionod. Y tu ôl i'r cylch, o dan y llenni coch melfaréd, gallwn weld traed y perfformwyr ac ar y llenni, mewn lliw aur, a'r rheiny wedi gwisgo braidd, roedd y llythrennau 'F.B.C.'. Ond o dan y goleuadau, roedd pob dim fel newydd.

7.30 pm! A'r sioe'n dechrau! Ffanffer a gwraig yn camu i ganol y cylch llwch lli mewn gwisg o *lurex* aur a het aur uchel yn disgleirio ar ei phen. Arswyd mawr! Hon oedd yr hen wreigan welais i'n cario dŵr i'r ceffylau y prynhawn hwnnw. Roedd hi'n hollol wahanol. Dim sôn am wallt llwyd! Roedd hi'n gwisgo *wig* du a cholur trwchus ar ei hwyneb. O dan y llinellau du, roedd ei llygaid yn disgleirio bron cymaint â'r diemwnt anferth oedd yn hongian o bob clust. Hi gyflwynodd yr act gyntaf.

Agorodd y llenni a dyna lle roedd y ferch gwallt coch. Roedd y cyrls yn rhydd ac yn edrych fel coron gopor ar ei phen. Dros ei hysgwyddau roedd clogyn arian hir. Daeth i ganol y cylch ac agor y clogyn, dal ei breichiau yn yr awyr a gwenu'n ddireidus ar y gynulleidfa. Yna, tynnodd y clogyn ac aeth at y rhaff hir oedd yn hongian o'r to. Dringodd yn araf, gan ddefnyddio dim ond ei dwylo. Roedd hi'n dal i wenu'n ddrygionus a'i choesau hir, llyfn fel taen nhw'n cyffwrdd yn ysgafn, rhywiol â charped hud. I fi, rhyw wisg nofio wen oedd amdani a honno'n disgleirio yn y golau. Roedd hi rŵan ar y trapîs yn perfformio pob math o driciau anhygoel ar y siglen fach. Ond daliais 'yn anadl ar y diwedd. Roedd hi'n hongian â dim ond ei thraed yn ei dal hi ar y trapîs. Ac roedd hi'n dal i wenu'n ddireidus. Llithrodd i lawr y rhaff a diflannu'r tu ôl i'r llenni, a phawb wrth eu bodd yn curo dwylo.

Yna roedd rhywbeth newydd yn digwydd,

un ar ôl y llall. Ceffylau bach efo plu coch ar eu pennau yn trotian yn ddel. Dau glown wedyn oedd yn codi ofn arna i. Yna sylweddolais mai'r ddau glown oedd y ddau ddyn fu wrthi'n codi'r seddi rai oriau'n gynt. Daeth y ferch gwallt coch yn ôl i'r cylch ac aeth ati i jyglo efo pob math o bethau. Roedd pinc ei hewinedd yn mynd yn berffaith efo'i ffrog fflamenco binc. Nesaf, roedd hi'n gowboi, y cyrls wedi'u cuddio dan het gowboi wen, a sŵn ei chwip yn llenwi'r babell. Cydiodd mewn gwn a saethu'r balŵns oedd yn nwylo'r hen wraig a'r rheiny'n bostio bob tro. Gwelais hi wedyn yn ystod yr egwyl mewn *overalls* a sgarff am ei phen yn gwerthu candi fflos. A'r hen wraig yn gwerthu cŵn poeth.

Ffanffer arall ac ail hanner y sioe yn dechrau! Daeth y Sioux Pochahontas efo dau o'r Indiaid Cochion mwyaf gwelw erioed i ganol y cylch yn bwyta fflamau ac yn taflu cyllyll. Yna hanner dwsin o gŵn o bob lliw a llun. Ac wrth gwrs seren yr act oedd y pwdl bach du yn gwisgo ffrilan fawr felen am ei wddf ac wrth ei fodd yn perfformio.

Arhosodd y syrcas ar y Traeth am dri diwrnod. Roeddwn i yno bob dydd ar y wal wrth y giât. Ar fore'r pedwerydd diwrnod, dringais i ben y radiator ond doedd dim golwg o'r myshyrŵm gwyrdd. Rhedais i lawr i'r Traeth. Popeth wedi diflannu. Y cae'n wag a'r cyfan wedi diflannu dros nos. Ond gadawodd y syrcas ei farc arna i, craith sydd yn dal i gosi ambell dro hyd heddiw.

Rai blynyddoedd yn ddiweddarach ymunais i efo'r syrcas. A do, bues i'n gweithio am gyfnod ochr yn ochr â'r ferch gwallt coch cyrliog. Bob dydd, byddai sŵn y chwiban yn dweud ei bod hi'n amser newid, amser plastro'r colur ar fy wyneb a gwisgo'r secwins disglair. Ambell dro byddwn yn gweld plentyn yn edrych, â'i lygaid yn llawn gobaith, fel fy llygaid i ers talwm.

PENNOD 2

PROFIADAU CYNNAR YN Y SYRCAS

DECHREUODD Y CYFAN 'NÔL yn 1879 yn Halfpenny Hatch yn Llundain. Philip Astley gafodd y syniad o ddefnyddio rhaff i greu cylch a chael pobol i berfformio yn y cylch. Wrth gwrs roedd Philip Astley ei hun yn un o'r perfformwyr, ac wrth ei fodd ar gefn ei geffyl. Daeth y sioe'n boblogaidd iawn ac yn raddol daeth yr acrobats, y clowns a'r jyglers. A dyna sut tyfodd y sioe i fod yn syrcas!

Wedyn teithiodd y syrcas dramor i Ffrainc, Rwsia ac America. Yno roedd canolfannau mawr, neuaddau arbennig ar gyfer creu sioe fawr. Ond byddai'r syrcas yn perfformio mewn pabell neu yn y 'Big Top'.

Oes aur y syrcas yng ngwledydd Prydain oedd y cyfnod ar ôl yr Ail Ryfel Byd. Mae pawb yn cofio am Billy Smart, Bertram Mills a'r Chipperfields. Er bod sawl syrcas arall yn teithio hefyd, rhain, heb os, oedd y tair syrcas orau.

Mae'n debyg mai'r teulu enwoca ym myd y

syrcas ydi'r Fossetts. Un o deulu'r Fossetts oedd y ferch gwallt coch a wnaeth gymaint o argraff arna i'n blentyn. Roedd gwallt coch gan lawer o'r teulu a rhyw dueddiad hefyd i fod ychydig yn wallgo! Priododd rhai o'r Fossetts ag aelodau o deuluoedd eraill y syrcas, felly mae'r rhan fwyaf ohonyn nhw'n perthyn i'w gilydd. Ac ydyn, mae llawer ohonyn nhw'n wallgof hefyd, er does dim gwallt coch gan bawb!

Gwallgof neu beidio, roeddwn i wedi gwirioni 'mhen efo'r syrcas. Rhaid 'mod i'n rêl niwsans, yn eistedd ar y wal wrth giât y Traeth drwy'r dydd, bob dydd ac yn holi pawb oedd yn ymwneud â'r syrcas. Yn araf bach, des i ddeall sut roedd petha'n gweithio ac erbyn hynny, y syrcas oedd fy mwyd a 'niod i. Dechreuais gasglu posteri, rhaglenni, llyfrau, lluniau, popeth. Byddai ambell i berfformiwr yn rhoi rhywbeth i fi. Roedd hynny fel cael trysor.

Erbyn diwedd y 70au, roedd Syrcas y Teulu Weight wedi dechrau dod yn gyson i ogledd Cymru. Doedd hon ddim yn syrcas arbennig o dda, ond ar y pryd roeddwn i wedi gwirioni arni. Charles Weight a'i wraig Mary oedd y perchnogion. Roedd Mr Weight yn ei 70au cynnar, yn symud yn sydyn fel wipet a'i lais ar bitsh uwch na'r un dyn glywais i erioed. Byddai Mrs Weight, ar y llaw arall, yn rheoli'r cyfan o ddrws ei charafán â'i llygaid croes, un yn edrych tua Chricieth a'r llall yn syllu tua Phwllheli. Eu mab Philip oedd y clown, hen foi hapus braf. Fo fyddai'n cyflwyno Nellie'r eliffant, prif atyniad y sioe. Gwraig Philip oedd y *ringmistress* a'i chwaer oedd yn perfformio ar y trapîs ac yn gweithio efo'r anifeiliaid. Hogan ddigon surbwch oedd hi, ddim yn gwenu'n aml, hyd yn oed wrth berfformio. Cofiwch, buodd y teulu yma'n garedig iawn tuag ata i.

Roedd 'na artistiaid eraill hefyd, Kassim Konchak, dyn tal, tenau yn gwneud act efo crocodeils; Al Verlain yn cyflwyno'r llewod, a'i wraig Ann-Marie yn peintio ei dannedd yn wyn ar gyfer yr act efo sawl neidr anferth. A Robert Foxall, bachgen ifanc oedd yn perfformio ar ddarn o raff yn hongian o nenfwd y babell. Roeddwn i'n reit genfigennus o Robert gan ei fod o tua'r un oed â fi a'i rieni'n gadael iddo deithio efo'r syrcas yn ystod gwyliau'r haf.

Roedd 1980 yn flwyddyn fawr i mi. Gadewais Ysgol Gynradd Eifion Wyn a chychwyn yn Ysgol Uwchradd Eifionydd. Ond, yn bwysicach na hynny, efallai, dyna'r flwyddyn yr es i am y tro cyntaf i Syrcas y Tŵr yn Blackpool. Roeddwn wedi bod yn swnian ers blynyddoedd am gael mynd i Blackpool gan fod David a Janet, brawd a chwaer oedd yn byw gerllaw, yn cael mynd yno bob blwyddyn i weld y goleuadau a'r syrcas. Un flwyddyn ces i anrheg gan Anti Laura, sef rhaglen y syrcas wedi ei harwyddo gan y *ringmaster* enwog Norman Barrett. Felly, fel *treat* arbennig cyn cychwyn yn yr ysgol newydd, aeth fy rhieni â fi yno am chydig o ddyddiau. Anghofia i fyth y wefr a deimlais wrth gerdded i mewn i'r syrcas.

Dwi'n meddwl mai hon oedd y sioe fawr gyntaf i mi ei gweld. Dwi'n dal i allu clywed arogl arbennig y sioe yna, ogla oedd yn gymysgedd o faw eliffant, chwys a phersawr. Roedd y sioe ei hun yn wych. Anifeiliaid o bob math; y Rastellis, teulu o glowns doniol o'r Eidal; y Brodyr Bogino, tri brawd oedd yn gwneud y petha rhyfedda ar gefn beic, ac yn fòs ar y cyfan, y *ringmaster*, Norman Barrett. Ar ddiwedd y sioe, cafodd y cylch ei lenwi efo dŵr. Yng nghanol y llyn hwnnw, perfformiodd Sylvia Theron ei hact mewn bikini disglair. Hi oedd yr unig ferch yn y byd, yn ôl Norman Barrett, a allai sefyll ar un bys! Eisteddais yn fy sedd yn hir wedi i'r sioe orffen yn ceisio ail-fyw'r cyfan. Heddiw, bron i ddeng mlynedd ar hugain yn ddiweddarach, dwi'n dal i fwynhau mynd i weld Syrcas y Tŵr a dwi'n dal yn siomedig iawn 'mod i ddim wedi cael perfformio efo nhw.

1982, blwyddyn cychwyn S4C wrth gwrs,

ac ym mis Gorffennaf y flwyddyn honno fe gafodd syrcas ei ffilmio yn barod i fynd allan ar S4C dros y Nadolig a'r holl sgript yn Gymraeg. Gallwch ddychmygu'r cyffro pan ddeallais mai ar y Traeth ym Mhorthmadog y byddai Cwmni Syrcas Gandey yn perfformio. Dyma nefoedd ar y ddaear i fachgen fel fi. Yr actor Trefor Selway oedd meistr y cylch a'r clowns oedd Mici Plwm a Tom Richmond, sef yr actor ddaeth yn adnabyddus fel Dafydd Dafis! Roedd nifer o'r artistiaid eraill hefyd yn Gymry neu â chysylltiadau Cymreig, fel y teulu o gonsurwyr o Riwabon ac Alun Davies o Aberaeron efo'i gŵn. Ond y seren go iawn oedd fy arwr i, Gwyn Owen.

Fel fi, cafodd Gwyn Owen ei eni ym Mhorthmadog ac roedd yn berfformiwr trapîs penigamp. Cafodd yrfa ddisglair yn perfformio mewn syrcasys mawr ledled y byd. Roeddwn wedi clywed llawer amdano. Ei fod yn ymarfer ei act mewn sgubor ar Ffarm Iard, ger Porthmadog. Bod ei act yn beryglus iawn ac o ganlyniad, cafodd rai damweiniau cas. Erbyn cyfnod recordio *Syrcas Cymru* ar y Traeth, roedd wedi rhoi'r gorau i'r trapîs ac yn perfformio ar ffrâm uchel a honno'n troelli yng nghanol y cylch. Roedd cwrdd â Gwyn a'i wraig Maggie'n wefr arbennig i mi ac ry'n ni'n parhau i gadw cysylltiad.

Yn ogystal â'r perfformwyr Cymreig, roedd *Syrcas Cymru* hefyd yn cynnwys artistiaid enwog eraill, fel Ivan Karl, y dyn cryf lleiaf yn y byd, Martin Lacey â'i lewod anferthol, y Brodyr Carlino yn dawnsio'r tango ar wifren uchel ac anifeiliaid ecsotig Mary Chipperfield.

Felly, roedd haf 1982 yn arbennig iawn. Syrcas mawr ar y Traeth am bythefnos, trip efo 'Nhad i Gaernarfon i weld Syrcas Robert Fossett ac roedd Syrcas y Teulu Weight yn Abererch. Gwledd go iawn! Y perfformiwr gwadd yn Syrcas Weights y flwyddyn honno oedd dyn o'r enw Richard Viner. Ei act oedd marchogaeth ei geffyl Chanson mewn arddangosfa *dressage* fawreddog. Dyma dipyn o steil uchel-ael yn y babell shabi. Doedd dim syniad gen i, wrth ei wylio yn ei gôt goch lachar a'i het uchel sidan, y byddai'n cael cymaint o ddylanwad ar fy mywyd ymhen blynyddoedd wedyn.

PENNOD 3

SYRCAS GLANDWYFACH A SYRCAS VARIETY

'Mae 'na syrcas yng Ngarndolbenmaen.' Dyna oedd y si yn yr ysgol un diwrnod. Deallais wedyn fod Richard Viner a'i griw wedi prynu fferm y tu ôl i'r dafarn yn Glandwyfach, sy'n agos i Garndolbenmaen. Erbyn hyn roedd Richard Viner wedi cychwyn ei syrcas fach ei hun ac yn teithio o amgylch de Lloegr. Ond roedd wrth ei fodd efo Cymru a phenderfynodd symud i Landwyfach, a defnyddio'r fferm fel cartref dros y gaeaf. Wrth gwrs, mi es i yno ar unwaith. Roedd Richard a'r criw'n bwriadu llwyfannu syrcas dros gyfnod y Nadolig o dan y 'Big Top' yn y cae nesaf at y fferm. Felly cynigiais helpu – unrhyw beth i gael bod yn aelod o'r criw ac i fod efo syrcas go iawn.

Mae Richard Viner yn gymeriad lliwgar. Cafodd ei addysg mewn ysgolion bonedd yn Lloegr ac wedyn aeth i'r Dwyrain Pell. Mae'n bosib mai yno y dechreuodd gymryd diddordeb mewn ceffylau a hyfforddi ceffylau ar gyfer rhaglenni teledu. Wedyn, dechreuodd berfformio mewn syrcas. Gwnaeth o gyfarfod â'i bartner Sue yn ne Lloegr. Roedd ganddi hi, ar y pryd, yrfa lwyddiannus yn y byd antîcs ond gadawodd y cyfan er mwyn ymuno efo Richard. Daeth eu breuddwyd o gael eu syrcas eu hunain yn wir. Cyn hir roedd rhieni Sue, Mary a Frank, wedi ymuno hefyd – Mary'n trefnu a Frank yn helpu'r gweithwyr i godi'r babell a symud offer.

Yn Glandwyfach, des i adnabod rhai o'r perfformwyr fyddai'n perfformio yn y sioe Nadolig. Un ohonyn nhw oedd merch o'r enw Lesley oedd yn gleisiau byw oherwydd bod ei chariad, Kerry, yn ei churo. Roedd hi'n dal a gosgeiddig, â gwallt melyn hyfryd a chroen gwyn fel alabastar. Ond roedd rhyw dristwch bob amser yn ei llygaid mawr glas. Bachgen du oedd Kerry, ei phartner, a'r ddau'n perfformio act efo'i gilydd. Roedd y gwahaniaeth amlwg rhwng pryd a gwedd Kerry a Lesley yn gwneud yr act hyd yn oed yn fwy effeithiol. Ond wedi i'r goleuadau ddiffodd, mi fyddai sŵn ffraeo erchyll yn dod o garafán y ddau. Y bore wedyn byddai llygad du neu glais newydd gan Lesley druan.

Doedd Richard Viner ddim yn caniatáu ymddygiad fel yna, felly roedd rhaid i Kerry adael y sioe. Gadawodd Lesley hefyd yn fuan wedyn ond cadwodd mewn cysylltiad efo un o'r merchaid. Clywson ni fod partner arall gan Lesley ac roedd hwnnw hefyd yn ei churo. Tybed oedd y llygaid mawr trist yn denu trais?

Ychydig cyn y Nadolig roedd pabell yn y cae wrth ochr y ffordd fawr yn barod i groesawu pobol yr ardal. Eto i gyd, doedd Syrcas Nadolig Garndolbenmaen ddim yn llwyddiant. Ychydig iawn o bobl ddaeth i'r 'Big Top'. Tydi perswadio pobol i adael eu catrefi cynnes i eistedd mewn pabell ganol gaeaf ddim yn hawdd.

Diolch byth, er bod y sioe Nadolig wedi methu, doedd Richard Viner ddim yn teimlo'n rhy gas tuag at y Cymry. Penderfynodd deithio'r gogledd efo'i sioe yr haf canlynol. Erbyn hyn roeddwn i wedi meistroli'r gamp o jyglo. Bues i'n ymarfer am fisoedd yn fy stafell wely, a dywedodd Richard y byddwn yn cael perfformio efo'r syrcas yn ystod yr haf. Buodd bron i Mam druan gael ffit pan ddywedais wrthi. Buon ni'n ffraeo am wythnosau. Yna, heddwch pan gytunon ni y byddwn i'n cael perfformio yn ystod gwyliau'r haf pan fyddai'r syrcas yn ddigon agos i Borthmadog. Roedd rhaid i fi ddod adref bob nos a fyddwn i ddim yn teithio efo'r sioe.

Dyma'r sbardun perffaith ac fe basiais fy

mhrawf gyrru y tro cyntaf. Bob tro roedd cyfle i berfformio, byddwn i'n gallu mynd yno yn y car. Roedd yn rhaid creu gwisg, wrth gwrs, a dwi'n cofio'r wisg gyntaf yn iawn. Hen drowsus Mam efo chydig o secwins aur lawr ei ochr, crys ysgol gwyn a thei bo! Dwi'n siŵr fod golwg cythreulig arna i ond roeddwn yn perfformio o flaen cynulleidfa. Hwn oedd y cychwyn, dechrau byw'r breuddwyd o weithio gyda phobl y syrcas.

Tra oeddwn yn yr ysgol ac wedyn yn y Coleg Normal, ym Mangor, dyma oedd fy mywyd, fy ngyrfa. Ond, er mwyn plesio fy rhieni, cytunais i ddilyn cwrs cyfathrebu yn y Normal. Wrth gwrs, roeddwn yn gallu perfformio efo Richard Viner a gweddill criw Syrcas Variety pan fyddai'r sioe yn yr ardal. A wir, blinodd fy rhieni ar y dadlau a chefais deithio efo'r syrcas yn ystod gwyliau'r coleg.

Cynigiodd Richard Viner garafán fach i mi fyw ynddi, ar yr amod fy mod i'n ei thynnu o le i le efo fan y syrcas. Cofiwch, newydd basio 'mhrawf gyrru oeddwn i a dwi'n dal i gofio'r daith gyntaf o Landwyfach i Fachynlleth. Hunllef o daith. Roedd pawb yn gyrru'n araf a finnau'n chwysu slobs wrth geisio cadw'r fan a'r garafán ar y ffordd. O Fachynlleth wedyn yr holl ffordd i Langport yng Ngwlad yr Haf/

Somerset ac wedyn i Charmouth, pentref hyfryd yn swydd Dorset.

Erbyn hynny roeddwn wedi dod yn dipyn o giamstar ar yrru. O Charmouth, ymlaen i Weymouth ac ar y cwch draw i Guernsey. Yma roedd Syrcas Variety yn mynd i wneud sioe arbennig ar gyfer y Variety Club of Great Britain. Dyma beth oedd antur enfawr, dreifio'r garafán ar fwrdd y llong ac wedyn cael *police escort* o'r dociau i faes y syrcas. Does dim hawl gan garafannau i deithio ar ffyrdd Guernsey. Roedd y cyfan yn waith caled. Dim ond criw bach oedden ni ac roedd rhaid codi'r babell a pherfformio. Ond roeddwn i wrth fy modd. Dwi'n cofio'r teimlad o orwedd yn fy ngwely yn gwrando ar y glaw'n disgyn ar do'r garafán ac edrych ymlaen at agor y llenni yn y bore. Roedd bywyd yn grêt!

Wedi perfformio yn Guernsey, 'nôl i ogledd Cymru, Ynys Môn, Penrhyn Llŷn ac yna tua'r de i gyfeiriad Harlech a'r Bermo. Syrcas fach oedd Syrcas Variety. Felly, roedden ni'n gallu mynd i bentrefi a threfi bach lle fyddai syrcas ddim yn galw fel arfer. Roedd y cyfan yn llwyddiant a'r bobl yn tyrru i mewn ac wrth eu boddau. Erbyn hyn, fi oedd yn cychwyn y sioe, yn croesawu'r gynulleidfa yn Gymraeg ac yna'n cyflwyno Richard Viner ar ei geffyl, Chanson. Richard wedyn fyddai'n cyflwyno gweddill yr hanner cyntaf, yn ei gôt goch draddodiadol. Mi fyddai Sue, ei wraig, yn ymddangos efo dwy neidr python anferth ac wedyn fi'n jyglo.

Roeddwn i wedi dewis enw egsotig, Anton Gallini. Anton Gallini o Borthmadog! Roedd Dawn o Feddgelert wedi ymuno efo'r criw hefyd. Roedd hi'n cerdded ar bêl fawr a'i chariad, Tom, oedd y clown Tombo. Yn ystod yr egwyl mi fyddwn i a Mary'n gwerthu creision a fferins.

Sue oedd meistres y cylch yn yr ail hanner, yn edrych yn hardd iawn mewn het fawr o blu glas. Byddai Richard yn taflu cyllyll at Dawn tra byddai cerddoriaeth o *The Phantom of the Opera* yn chwarae'n ddramatig iawn yn y cefndir. 'Nôl â fi i'r cylch mewn gwisg gowboi gan drio 'ngora i berswadio ceffyl bach gwyn o'r enw Diabolo i wneud triciau. Ond hen gythral styfnig oedd Diabolo. Byddwn i'n clecian fy chwip, ond yn aml dim ond gwneud fel y mynnai o y byddai'r ceffyl bach. Tom y clown fyddai'n gorffen y sioe drwy fwyta tân a gorwedd ar wely o hoelion. Er nad oedd Syrcas Variety yn sioe fawr, roedd y pris mynediad yn rhesymol, roedd digon o amrywiaeth a llawer o bobl yn dod i fwynhau.

Roedd Richard yn awyddus i deithio yn ystod y gaeaf. Felly, bob penwythnos mi fyddai criw bach Syrcas Variety yn perfformio mewn neuaddau pentref a theatrau bach. Gwaith dydd Sadwrn oedd llwytho'r fan, cyrraedd y neuadd, gosod yr offer. Wedyn, un perfformiad yn y prynhawn ac un arall gyda'r nos. Yn aml byddai'n rhaid newid yn y tŷ bach. Ond pan fyddai ystafelloedd newid go iawn, bydden ni'n teimlo fel sêr mewn theatr.

Dwi'n cofio gwirioni'n lân pan gyrhaeddais Neuadd Ogwen, Bethesda, a gweld fod ystafelloedd gwisgo moethus yno a bylbiau golau o amgylch y drych. Dyn ifanc, hawdd fy mhlesio oeddwn i'r dyddiau hynny! A'r gynulleidfa? Dwi'n cofio eistedd mewn theatr yn y Rhyl ac aros. Ond ddaeth neb, neb o gwbl i'r sioe yn y prynhawn na neb i'r sioe gyda'r nos chwaith! Gyrron ni adra'r noson honno a'n gwynebau'n hir iawn.

Y flwyddyn ganlynol daeth artistiaid newydd aton ni. Ailymunodd Jeff a Jackye Jay â Syrcas Variety. Roedd Jackye newydd gael babi ac am fod yn rhan o sioe fach am gyfnod. Roedd Jeff yn berfformiwr arbennig iawn, yn glown naturiol ac yn acrobat gwirioneddol dda. Dysgais i lawer wrth wrando arno fo a'i wylio'n perfformio.

Dysgais hefyd pa mor bwysig yw edrych yn dda. Cael offer a gwisgoedd sy'n edrych yn broffesiynol. Dechreuais wneud fy ngwisgoedd fy hun a chwilio ym mhob man am siop yn gwerthu secwins. Roedd Jackye'n gwybod am gwmni, felly ysgrifennais i archebu'r secwins a'r *diamanté*. Eistedd am oriau wedyn yn gwnïo'r addurniadau, yn aml yng ngolau cannwyll, gan fod y *generator* yn cael ei ddiffodd ar ôl pob sioe. Byddwn yn cerdded fel paun yn y wisg newydd, pob secwin yn ei le, yn llachar dan y goleuadau.

Roedd y blynyddoedd efo criw Syrcas Variety yn flynyddoedd hapus ac mae fy nyled yn fawr i Richard, Sue a gweddill y criw. Ond roeddwn i â 'mryd ar bethau mwy – roeddwn i eisiau perfformio mewn 'Big Top' mawr.

PENNOD 4

SYRCAS FIESTA

'FONEDDIGION A BONEDDIGESAU, CROESO i gynhyrchiad 1990 o Syrcas Fiesta!' Dyna fyddwn i'n ei floeddio ddwy waith y dydd yn ystod 1990. Dach chi'n gweld, roedd Jeff a Jackye Jay wedi gadael criw Syrcas Variety ar ddiwedd y daith ac wedi ymuno efo cwmni Syrcas Fiesta. Pan glywodd Jeff fod perchennog y sioe, Tony Hopkins, yn bwriadu teithio Cymru'r haf hwnnw, awgrymodd y byddai cael *ringmaster* Cymraeg yn syniad da. Roeddwn ar fin gadael y Normal ddiwedd mis Mai ac angen gwaith llawn amser. Felly, pan ddaeth gwahoddiad oddi wrth Tony, neidiais at y cyfle.

Roedd Syrcas Fiesta yn un o'r syrcasys gorau ym Mhrydain, efo pabell fawr a chriw o berfformwyr gwych. Ond cofiwch, roedd Tony Hopkins yn gallu bod yn dipyn o gythral i weithio iddo fo – yn enwog am golli ei dymer. Wedi ei gyfarfod mi gefais fy synnu ei fod mor glên ac y gallwn ddod ymlaen yn dda efo fo.

Roedd tymor y syrcas wedi cychwyn ers mis

Chwefror, felly draw â fi ar benwythnosau i helpu Tony yn ei swyddfa er mwyn cael blas o'r sioe. Dal y trên o Fangor ar brynhawn dydd Gwener a chysgu ar y soffa yng ngharafán Jeff a Jackye, a mwynhau pob eiliad. Dwi'n siŵr fod Mam a Dad druan wedi poeni'n arw bryd hynny nad oeddwn i'n gwneud fy ngwaith coleg ond rywsut mi lwyddais i ennill gradd. Felly'n syth ar ôl fy arholiad olaf, symudais o'r neuadd breswyl i mewn i garafán.

Yn Haverhill, tre fach y tu allan i Gaergrawnt, y cychwynnais i a dwi'n cofio teimlo'r ofn a'r pleser o yrru fy hen garafán fach i mewn i'r maes. Roedd hon yn syrcas fawr, efo loriau a charafannau mawr crand. Y person cyntaf wnes i gyfarfod oedd y clown David Konyot, a fo hefyd oedd yn gyfrifol am osod y carafannau yn eu lle. Edrychodd David lawr ei drwyn ar y garafán a'r car a dywedodd yn swta,

'Stick it round the back somewhere mate, out of sight.'

Cychwyn da. Mae David Konyot yn perthyn i deuluoedd y syrcas o Brydain ac o Hwngari ac roedd ganddo dipyn o feddwl ohono'i hun. Wedi blynyddoedd o weithio fel *ringmaster* a chlown, roedd rŵan yn rhedeg ei griw ei hun o glowns cerddorol. Doedd o ddim yn boblogaidd, ond roedd o'n ddyn talentog iawn, yn gerddor dawnus ac yn siarad nifer o ieithoedd yn rhugl. Ei bartner yn yr act oedd ei wraig Pam, a'r ddau'n anferth o dew. Roedden nhw'n hollol wahanol i Jeff, y clown bach arall yn yr act â'r wyneb gwyn.

Diolch byth, cefais groeso cynhesach gan weddill y criw ac o fewn ychydig oriau roeddwn yn teimlo'n reit gartrefol. Wrth gwrs, roeddwn i eisoes yn ffrindiau efo Jeff a Jackye a thrwyddyn nhw des i nabod gweddill y criw. Y teulu Witney, er enghraifft, June a'i dwy ferch, April a Lee-Ann, a'u partneriaid, Noke a Darren. Marchogaeth ceffylau mewn gwisg Indiaid Cochion oedden nhw, a Lee-Ann yn gweithio efo trŵp o bwdls. Tony Hopkins ei hun fyddai'n cyflwyno'r pedwar teigar mawr a'r babŵns o Syrcas Chipperfield ond merch o'r enw Jennifer fyddai'n eu trin. Roedd y babŵns yn anifeiliaid direidus iawn ac fel diweddglo i'r act, mi fyddai'r pedwar yn rhedeg ar draws y cylch gan neidio ar gefn mul bach gwyn a hwnnw'n trotian yn sidêt o amgylch y cylch.

Er mwyn bod yn saff, mi fyddai Jennifer yn rhoi'r babŵns ar dennyn. Ond roedd Norman, y babŵn hynaf, wedi deall ei fod yn gallu dod yn rhydd. Felly, wrth i bob babŵn landio ar gefn y mul, byddai Norman yn agor y clip a'r pedwar babŵn yn sgrialu drwy'r gynulleidfa ac allan o'r babell, gan adael Jennifer a'r mul ar ôl yn y cylch! Diolch byth, roedd Norman yn gwisgo *muzzle* am ei fod yn brathu ond roedd y gweddill yn ddigon diniwed, felly doedd dim perygl i'r cyhoedd. Ond gallai gymryd oriau ambell dro i ddod o hyd iddyn nhw.

Yr anifail arall yn y sioe oedd eliffant anferth o'r enw Tina a gâi ei chyflwyno gan ddyn bach eiddil o'r enw Tom Cottington. Roedd y gerddoriaeth yn cael ei chwarae gan deulu Otto, teulu syrcas arall.

Roedd David, mab hynaf teulu Otto, yn canlyn Rebecca, y *foot juggler*. Ei thad a'i hewythr hi oedd perchnogion y cwmni llogi pebyll ac am flynyddoedd, nhw fyddai'n gyfrifol am godi pafiliwn yr Eisteddfod Genedlaethol. Roedd hyn cyn i'r babell binc gyrraedd. Merch o'r enw Donna fyddai'n perfformio ar y trapîs. Yn anffodus doedd hi ddim yn lân iawn, ac felly cafodd yr enw Crusty Marie.

Doedd dim angen *ringmaster* Cymraeg yn Lloegr, felly ces berfformio fy act falansio. Yn ystod fy mlwyddyn olaf efo Syrcas Variety bues i'n ymarfer act newydd, sef balansio cleddyf ar flaen cyllell a honno'n cael ei dal rhwng fy nannedd. Sylweddolais fod gen i allu naturiol i falansio pethau ac uchafbwynt yr act oedd dringo ysgol uchel gan ddal i falansio'r cleddyf mawr ar flaen y gyllell. Dwi'n cofio sefyll tu ôl i'r llenni, y chwys oer yn llifo a 'nwylo i'n crynu. Drwy lwc, diflannodd y nerfau yn syth wedi i mi gamu i'r cylch dan wres y golau a theimlo fel artist go iawn.

Teithiodd y sioe drwy swydd Lincoln, Efrog a Chaer cyn cyrraedd gogledd Cymru ar gyfer gwyliau'r haf. Byddai disgwyl i bawb helpu efo'r symud ac roedd yn waith caled. Byddai pob cyhyr yn fy nghorff yn brifo ar ôl cario'r offer trwm. Ond roeddwn wrth fy modd, erbyn cyrraedd Dinbych, y dref gyntaf ar y daith yng Nghymru. Roeddwn yn teimlo'n gartrefol bellach – roedd hyd yn oed y Konyots wedi fy nerbyn!

Penderfynodd Tony Hopkins ei fod am gynnal ail sioe yn y Rhyl am fis yn ystod gwyliau haf yr ysgolion. Gofynnodd i mi gadw llygad ar y sioe ac i berfformio fy act. Roedd hon hefyd yn sioe dda er mai dim ond Lee-Ann Witney, Tina'r eliffant a fi o'r brif sioe aeth yno. Felly buodd yn rhaid dod o hyd i act neu ddwy newydd. Daeth cwpwl hyfryd o Ffrainc i berfformio ar y trapîs, hefyd grŵp mawr o lewod o Syrcas Chipperfield, brawd a chwaer o Fae Colwyn efo act gonsurio, a chlown o'r enw Puggy.

Roedd y clown Puggy'n hen ddyn ac yn defnyddio ei act i fynd at ferched deniadol yn y gynulleidfa a dweud pethau amheus wrthynt. Cawsom drafferth efo cyflwynydd y llewod hefyd; problem yfed oedd ganddo fo. Byddai'n yfed yn ystod y dydd, ac wedyn yn mynd i mewn i gawell efo deg o lewod ffyrnig.

Wedi i sioe'r Rhyl ddod i ben, ymunais efo'r brif sioe, a mynd i lawr arfordir Cymru i Abertawe, Llanelli a Chaerdydd cyn gadael Cymru a gorffen y daith yn ardal Llundain. Roedd pawb yn cyd-dynnu'n dda, heblaw am David Konyot efallai. Fel rhan o'i act glownio, byddai'n rhaid i mi dynnu rhaff wedi'i chlymu wrth un o bolion y babell. Byddai hyn yn rhyddhau hwyaden fach blastig a honno'n hedfan i lawr ar barasiwt. Wel, fe bechodd David Konyot aelod o'r sioe, ac yn lle'r hwyaden, cafodd baw eliffant ffres ei roi yn ei lle. Pan dynnais y rhaff, syrthiodd hwnnw'n glep ar ben y gŵr a'r wraig.

Yn aml byddai parti neu farbeciw ar ôl y sioe. Y straeon yn llifo, pawb yn adrodd eu clecs am artistiaid eraill a hel atgofion am eu profiadau yn y syrcas ar draws y byd.

Erbyn canol mis Tachwedd roedd y tywydd wedi oeri a'r gynulleidfa wedi lleihau. Bob bore byddai llenni ffenestri'r garafán wedi rhewi'n gorn ond eto i gyd, doeddwn i ddim eisiau i bopeth ddod i ben. Diwrnod trist oedd hwnnw wrth ffarwelio â'r criw a fu'n ffrindia mor dda i mi. Felly, wrth i'r hen garafán fach adael y cae syrcas a chychwyn am Borthmadog, roedd deigryn yn llygaid Anton Gallini.

PENNOD 5

SYRCAS SYRCAS A SYRCAS STARR

'SA HI DDIM YN well iti gael job gall.' Dyna'r geiriau glywn yn rhy aml gartref y gaeaf hwnnw. 'Job sy'n talu'n iawn drwy'r flwyddyn ac yn cynnig pensiwn ar y diwedd.'

Ond er y dadlau a'r wythnosau segur, roeddwn yn benderfynol o barhau yn y syrcas. Chwarae teg, cynigiodd Tony Hopkins gytundeb i mi ar gyfer y tymor canlynol. Ond roeddwn yn awyddus i gael profiad mewn sioe arall, felly buodd yn rhaid i mi gael asiant. Cefais asiant yn Iwerddon a fo gafodd gytundeb i mi efo cwmni Syrcas Syrcas.

Perchnogion y sioe oedd cwpwl o'r enw Colin a Valery Timmis – Valerie'n aelod o deulu'r Hoffmans. Dyliwn i fod wedi gwybod yn well achos mae teulu'r Hoffmans yn enwog fel teulu o ryffians. Mack oedd eu henw iawn ac roedd eu tad, Billy Mack, yn enwog. Byddai'n newid enw'r sioe'n aml er mwyn dianc rhag ei ddyledion. Arwyddais y cytundeb heb feddwl, a gan fod y tymor yn cychwyn ym mis Chwefror doedd dim amser i ailfeddwl.

Grantham, yn swydd Lincoln, oedd y dref gyntaf ar y daith ac roedd haen ddofn o eira'n gorchuddio maes y sioe.

'Don't worry love, we'll be fine once the leaves are on the trees,' oedd geiriau cyntaf Valerie a'r babell yn gwegian dan bwysau'r eira.

'Mae misoedd cyn y bydd dail ar y coed,' meddyliais. Pwtan gron yn ei 50au cynnar efo mop o wallt cyrls blêr a llygaid gwallgo oedd Valerie. Pwtyn bach tew oedd Colin, ei gŵr, hefyd, yn eistedd fel brenin mewn cadair ledr fawr yng nghanol eu Winnebago moethus, un llygad yn gwylio'r sgrin deledu anferthol a'r llall yn syllu arna i. Gofynnais pryd byddai'r ymarferion, gan fod y sioe gynta mewn deuddydd. Atebodd heb symud o'i gadair, *'What fucking rehearsal? We don't need a fucking rehearsal. We'll just get in there and fucking do it.'* Gwenais yn nerfus arno cyn troi ar fy sawdl a chau drws y Winnebago. Siawns mai jocian oedd o, de?

Na, doedd Colin ddim yn jocian. Deallais yn fuan iawn na fyddai byth yn jocian, doedd ganddo mo'r gallu i fod yn ddoniol. Roedd Colin druan yn ddwl fel postyn ac roedd Valerie'n honco bost. 'Duw a'm helpo,' meddyliais wrth grwydro o amgylch y maes a chamu i mewn i'r babell dywyll.

Yn y babell roedd criw o bobol yn sgwrsio a chyflwynais fy hun iddynt. '*So you're the new ringer,*' meddai un o'r bechgyn sef Paul, mab hynaf Colin a Valerie. Jason, ei frawd, oedd un o'r lleill ac yn anffodus roedd wedi etifeddu'r llygaid gwallgo a'r gwallt cyrls. Jock Macpherson oedd y trydydd yn y criw, dyn ychydig yn hŷn ac acen Albanaidd gref. Wedi ysgwyd llaw a sgwrsio am ychydig funudau, cefais wahoddiad gan Jock i fynd i'w garafán am baned ac i gwrdd â gweddill ei deulu. Felly y des i'n ffrindiau â'r teulu Macpherson, ac mae'r cyfeillgarwch wedi para hyd heddiw.

Wrth gerdded i mewn i'r garafán cefais fy nharo gan y croeso ac arogl coffi. Yn eistedd wrth y bwrdd yn gwnïo secwins roedd Cathy, gwraig Jock. Yno hefyd roedd Pamela, eu hwyres, oedd yn byw efo nhw, yn ogystal â dau Yorkshire terrier. Roedd y garafán fel pìn mewn papur, er bod tri ohonyn nhw a dau gi'n byw ynddi. Cyn hir roedd cwpaned enfawr o goffi o 'mlaen i a bues i yno'n sgwrsio am oriau.

Gadawsai Jock ei gartref yn Glasgow i weithio mewn *boxing booth* yn y ffeiriau cyn dechrau gweithio yn y syrcas, yn helpu i godi'r babell ac edrych ar ôl yr anifeiliaid. Dawnsio oedd diléit Cathy pan oedd yn blentyn yn Henffordd.

Er mawr siom i'w mam, ei jobyn cyntaf oedd dawnsio mewn syrcas a dyna lle cwrddodd hi â Jock. Erbyn hynny roedd o'n gweithio fel clown. Syrthiodd y ddau mewn cariad a chychwynnon nhw act efo'i gilydd fel yr Indiaid Cochion Running Fox a Juanita, yn bwyta tân ac yn chwythu fflamau.

Yn ogystal â pherfformio fel clown a bwyta tân, byddai Jock yn gofalu am y babell. Mae *tent master* da'n werth ei halen. Fo sy'n gyfrifol am farcio'r maes ar gyfer y pegiau a'r polion ac am drefnu'r gwaith ar ddiwrnod y symud mawr. Adeg tywydd drwg, cyfrifoldeb y *tent master* yw gofalu na fydd y gwynt yn rhwygo'r babell yn garpiau. Wedi blynyddoedd o brofiad, roedd Jock yn feistr ar y swydd ac ar noson wyntog byddai ar ei draed drwy'r nos, yn crwydro o amgylch y babell yn gofalu fod pob rhaff wedi ei chlymu'n ddiogel.

Jock hefyd oedd yn gyfrifol am fy nghyflwyno i'r iaith Palari, sef iaith arbennig y syrcas. Mae'r Palari'n iaith sydd i'w chlywed hefyd ym myd y theatr ac fe fyddai'n cael ei defnyddio ymysg hoywon ar un adeg. Yr enghraifft enwocaf, mae'n debyg, oedd y defnydd a wnaed o'r iaith gan yr actorion Kenneth Williams a Hugh Paddick yn sgetsys enwog Julian a Sandy yn y gyfres radio boblogaidd *Round the Horne* yn y 60au.

Jock oedd y cyntaf i mi ei glywed yn defnyddio'r iaith ar lafar a byddai geiriau lliwgar yr iaith yma wedi eu gwau i mewn i'w iaith bob dydd. *Varder* ydi'r gair am 'edrych'; *palone* ydi 'dynes'; *dinarly* yw 'arian'; a *mangarie* ydi 'bwyd'. Os oedd rhywbeth yn dda, yna roedd yn *bona*; *nanti* ydi 'paid' neu 'na'; ac *omi* ydi 'dyn'. Cafodd rhai geiriau eu hychwanegu ar gyfer iaith y syrcas: *buffer* ydi 'ci'; *slang* ydi 'sioe'; *tober* yw'r enw am y tir lle byddai'r syrcas yn sefyll arno a *gilly gilly omie* ydi 'consuriwr'. Felly pan fyddai rhywun yn dweud, *varder the tober omie, nanti dinarly,* mae hyn yn golygu, 'edrych, dyma berchennog y maes a tydi o heb gael ei arian', a choeliwch chi fi roedd y llinell hon i'w chlywed yn aml yn Syrcas Syrcas!

Roedd gweddill y criw'n gymysgedd rhyfedd iawn o bobol. Gracie oedd yn perfformio ar y trapîs ac yn gwneud act ddigon tila efo dau barot. Tara oedd y ringmaster ac roeddwn i'n gwneud dwy act, jyglo a balansio. Roedd y band o dan arweiniad Colin ac Ian, ei fab llyweth, ar y drymiau. Yn anffodus doedd ganddyn nhw ddim llawer o ddewis o gerddoriaeth a byddai pob tiwn yn swnio'n debyg iawn i 'Roll Out the Barrel'.

Yn anffodus, doedd y sioe ddim yn denu cynulleidfaoedd, ac yn fuan iawn daeth yn amlwg nad oedd digon o arian i dalu cyflogau. Byddwn yn curo ar ddrws y Winnebago bob dydd.

'Come in.' Dyna lle byddai Valerie yn y gegin yn ffrio bacwn a Colin yn eistedd yn ei gadair. *'Any money tonight, please Valerie?'* yn y gobaith o gael rhywbeth. *'No love, we ain't got nothing for you, you poor little fucker.'*

Dechreuais holi am waith efo sioeau eraill a phan oeddwn yn Newport Pagnell cefais neges i ffonio'r asiant. Wrth gwrs, doedd o chwaith ddim wedi derbyn ei gomisiwn ac roedd yn awyddus i mi gael gwaith fyddai'n talu'n rheolaidd. Ei gyngor o oedd gadael Syrcas Syrcas ac ymuno efo Syrcas Starr a oedd, ar y pryd, mewn pentref o'r enw Pocklington y tu allan i Efrog.

'Whatever you do,' medda'r asiant, *'don't tell the Hoffmans that you're leaving or they'll half kill you. You'll just have to scarper when they move on Sunday.'*

Wel am bicil! Cerddais o'r blwch ffôn heb ddigon o arian i dalu am betrol i ddianc.

Drwy ryw wyrth dechreuodd y busnas wella'r wythnos honno a chefais ddigon o arian i lenwi'r tanc a dianc i Pocklington. Cyn gadael Syrcas Syrcas cefais ffrind newydd, ci bach du a gwyn o'r enw Oxo, wedi ei enwi ar ôl Jock. Syrthiais mewn cariad efo fo'n syth. Bu Oxo'n gwmni da i mi ac wedyn yn gwmni i'm rhieni cyn iddo farw, ddwy flynedd yn ôl.

Wedi dweud wrth Jock a Cathy 'mod i'n bwriadu gadael, daethon nhw â phecyn o frechdanau draw i mi cyn cychwyn. Gwnes i esgus i aros tan i bawb adael a gwneud yn siŵr fod pawb wedi cyrraedd traffordd yr M1. Yna dechreuais ar fy nhaith. Roeddwn yn swp sâl yn gyrru allan o Newport Pagnell efo Oxo druan yn belen o ffwr du a gwyn ar sêt y pasinjyr.

Cyrhaeddais y draffordd a chychwyn am Efrog. Ond ar ôl ychydig filltiroedd dechreuodd y car wneud sŵn rhyfedd. Gwaethygu wnaeth y sŵn ac yn y diwedd buodd yn rhaid stopio yn y *services* cyntaf. Erbyn hynny roedd yr injan yn mygu a chymylau o fwg du'n codi o dan y bonet. Roedd hyd yn oed mecanic ceiniog a dima fel fi'n gallu dweud fod rhywbeth mawr o'i le. Doedd dim dewis ond ffonio'r AA. Dywedodd y mecanic yn syth fod yr *head gasket* wedi chwythu a byddai'n rhaid mynd â'r car i garej er mwyn ei drwsio. Eglurais fod yn rhaid i mi fod yn Pocklington erbyn y bore canlynol. Awgrymodd mai'r unig ffordd, felly, oedd rhoi'r cyfan, y car a'r garafán, ar gefn *low loader* a'u cludo yr holl ffordd i Pocklington. Ac felly y bu, Oxo bach a fi yn y lorri efo'r gyrrwr a 'nghartref ar gefn y lorri. Sôn am gyrraedd mewn steil!

Syrcas elusennol yn cael ei redeg gan gwmni Syrcas Gandey oedd Syrcas Starr; hon oedd yn gyfrifol am Syrcas Cymru ar S4C flynyddoedd ynghynt. Y syniad oedd bod y syrcas yn codi arian ar gyfer elusen leol. Yn aml byddai'r syrcas ar dir yn perthyn i'r ysbyty leol, pob tocyn wedi ei werthu cyn i'r syrcas gyrraedd a'r holl elw'n mynd i goffrau'r ysbyty. Ond roedd rhaid teithio llawer ac aros mewn tref ddim ond am ddiwrnod neu ddau cyn symud.

Er bod y gwaith yn galed, cefais amser arbennig o dda efo Syrcas Starr ac roedd y cyflog yn dda ac yn rheolaidd. Am y tro cyntaf cefais gyfran o'r *sellings*. *Sellings* yw term y syrcas am yr holl bethau sydd yn cael eu gwerthu yn y babell: y cŵn poeth, y candi fflos, rhaglenni a theganau a ballu. Yn Syrcas Starr, fi oedd yn gyfrifol am werthu popcorn ac am fod y busnas yn dda, roedd y comisiwn yn werth ei gael. Am ryw reswm, byddai rhaglen Syrcas Starr yn newid yn aml, artistiaid yn perfformio efo'r cwmni am ychydig wythnosau ac yna'n gadael.

Pan oedd y sioe yn West Bromwich, ger Birmingham, cefais fy neffro ryw fore gan Oxo'n cyfarth wrth ddrws y garafán am fod côr o gŵn yn cyfarth y tu allan i'r drws. Codais ac edrych drwy'r llenni a gweld bod carafán a fan ddieithr wedi parcio gyferbyn. Agorais ddrws y garafán a gweld wyneb cyfarwydd y ferch efo'r gwallt coch! Dyma Jessie Fossett, y ferch gwallt coch, wedi cael cytundeb byr efo Syrcas Starr ac yno i gyflwyno'i chŵn yn y sioe. Roedd Syrcas y Fossett Brothers wedi hen gau ond roedd Jessie a'i phartner John yn parhau i weithio bob cyfle.

Ychydig ddyddiau wedyn ymunodd Jock, Cathy a Pamela efo Syrcas Starr am fod pethau wedi mynd o ddrwg i waeth yn Syrcas Syrcas. Am weddill y tymor, buodd Cathy'n teithio efo fi yn y car, Oxo ar ei glin a ninnau'n dilyn lorri a charafán Jock. Ar un siwrna sylwais ar rywbeth coch yn llithro o gwmpas ar do'r garafán.

'*Oh bloody hell, it's my jelly*!' dywedodd Cathy.

Cyn cychwyn, roedd wedi gwneud jeli ar gyfer y diwrnod canlynol. Penderfynodd roi'r jeli ar do'r garafán i oeri, gan nad oedd yr oergell yn gweithio, ac yn y prysurdeb cyn symud, anghofiodd amdano. A dyna lle'r oedd y bowlen yn llithro o'r naill ochr i'r llall. Rhyfedd na lithrodd dros yr ochor sawl gwaith a ninnau'n sgrechian ac yn chwerthin yn y car. Rhaid bod Jock yn yrrwr da, gan fod y jeli'n dal yn y bowlen ar y to pan gyrhaeddon ni ben y daith!

Daeth y sioe olaf i ben yn Northampton. Erbyn hynny roedd hi'n ddechrau mis Rhagfyr a'r tywydd yn oer ac yn rhewllyd. Ond doedd dim llawer o seibiant i'w gael y gaeaf hwnnw. Cyn diwedd y tymor efo Syrcas Starr, cefais gynnig gwaith dros y Nadolig fel Rheolwr Blaen y Tŷ yn syrcas fawr Gerry Cottle yn un o neuaddau arddangos Wembley yn Llundain. Felly, wedi'r perfformiad olaf dan babell Syrcas Starr, roeddwn ar fy ffordd i Lundain, a Nadolig yn Wembley.

PENNOD 6

NADOLIG YN WEMBLEY, WEDYN SYRCAS KING

GERRY COTTLE OEDD UN o enwau mawr byd y syrcas bryd hynny. Doedd o ddim yn perthyn i un o deuluoedd y syrcas ac roedd yntau, fel fi, wedi cychwyn fel jyglyr mewn syrcas. Priododd ag aelod o deulu'r Fossetts a chychwyn ei sioe ei hun. Erbyn y 70au roedd Syrcas Gerry Cottle yn un o'r rhai mwyaf yn y wlad ac ar y teledu'n aml. Felly, roeddwn yn falch iawn o'r cyfle i weithio iddo, er na fyddwn yn perfformio.

Roedd ffair fawr a syrcas yn Wembley dros y Nadolig. Y syniad oedd bod pobol yn talu'r pris mynediad ac wedyn yn mwynhau'r ffair cyn cyrraedd y syrcas. Roedd carafannau pobol y syrcas a'r ffair i gyd yn y maes parcio ac awyrgylch ardderchog yn y dre fach symudol, a pharti bron bob nos yn un o'r carafannau. Yn ogystal â'r sioe yn Wembley, roedd Gerry hefyd yn cyflwyno dwy syrcas arall yn Llundain ar yr un pryd. Roedd Jock a Cathy yn gweithio yn ei sioe yn y Crystal Palace ac roedd teulu'r Witneys, a fu efo fi yn Syrcas Fiesta, yn y sioe yn Pickett's Lock. Felly roedd digon o ffrindiau o fewn tafliad carreg a chefais ginio Nadolig efo'r Witneys y flwyddyn honno.

Roedd hwn yn gwmni proffesiynol. Ymarferion ar gyfer y syrcas wythnos cyn y perfformiad cyntaf – ymarfer efo'r gerddorfa gyntaf ac wedyn defnyddio'r goleuadau nes bod pob dim yn berffaith. Fel Rheolwr Blaen y Tŷ, roedd gen i dîm o 15 yn gweithio efo fi. O gofio bod lle i dros 2,000 o bobl i eistedd yn yr awditoriwm, roedd yn rhaid i bob dim fod yn drefnus a phawb yn gwybod beth oedd eu swyddi.

Y cyflwynydd teledu Jeremy Beadle oedd seren y sioe. Fo oedd y *ringmaster*, yn cyflwyno rhaglen odidog o berfformwyr talentog: clowns o Hwngari, perfformiwr trapîs o Fecsico, acrobatiaid o Kenya, yn ogystal â merchaid Gerry'n cyflwyno anifeiliaid di-ri. Roedden nhw i gyd yn sêr y syrcas ryngwladol ac yn bobl hyfryd i weithio efo nhw. Eto i gyd, roedd darn bach ohona i'n genfigennus, yn gorfod sefyll yn y cefndir tra bod eraill yn cael y sylw.

Cyn diwedd y tymor yn Wembley, dywedodd Jock iddo gael cynnig tymor efo Jeffrey Hoffman o Syrcas King. Un o frodyr Valerie o Syrcas Syrcas oedd o, ac roedd lle yno i mi hefyd fel *ringmaster*. Fy ymateb cyntaf oedd 'dim ffiars o beryg' ond eglurodd Jock iddo siarad efo rhai a fu'n gweithio i Jeffrey ac y dylai pob dim fod yn iawn a dim prinder arian.

Felly, pan ddaeth y gwaith i ben yn Wembley, cychwynnais am Grantham yn swydd Lincoln. Cyrhaeddais y fferm a chyflwyno fy hun i Jeffrey a'i wraig Yeli, o Norwy. Y peth cyntaf wnaeth fy nharo oedd llygaid gwallgo Jeffrey ac ogla diod ar wynt Yeli.

'O'r Arglwydd,' meddyliais, 'ma un yn feddw a'r llall yn boncyrs!' Gadewais y garafán ar fferm y teulu a dychwelyd i Borthmadog am seibiant. Roedd yn rhy hwyr i chwilio am waith arall. Felly, ar ôl ychydig o wythnosau yn Port, dechreuais efo Syrcas King.

Er bod disgwyl i'r syrcas gychwyn ar y 1af o Fawrth, buodd pawb yn eistedd ar y fferm yn gwneud dim am wythnosau. Yr esgus oedd bod y caeau'n rhy wlyb. Ond daeth yn amlwg fod mwy o broblemau na hynny. Dechreuodd bailiff ymddangos yno bob dydd yn chwilio am Jeffrey, ac yntau'n cuddio o dan y gwellt ym mhabell yr eliffantod. Diflannodd Yeli am ychydig ddyddiau i Norwy. Diolch byth, daeth yn ôl efo digon o arian i gadw'r bailiff yn hapus.

Long Eaton, ger Nottingham, oedd y dref gyntaf ar y daith ac yno aeth pethau o ddrwg i waeth. Roedd Syrcas King yn sioe fawr efo pabell enfawr a phob math o offer trwm ond doedd dim digon o weithwyr i godi'r babell. O ganlyniad buodd yn rhaid i bawb weithio'n galed. Erbyn i'r sioe agor doedd neb wedi cael amser i ymarfer ac roedd pawb wedi blino'n lân. Rywsut neu'i gilydd llwyddon ni i gynnal sioe o ryw fath a finnau'n gwneud fy ngorau i gyflwyno'r cyfan, er na fyddai syniad gen i pa act fyddai'n dod drwy'r llenni!

Jeffrey a Yeli fyddai'n cyflwyno'r anifeiliaid, yr eliffantod, y lamas a'r ceffylau. Chwarae teg, roedd y ddau wedi gwirioni efo'r anifeiliaid ac yn gofalu amdanyn nhw yn llawer gwell nag y bydden nhw'n gofalu am yr artistiaid! Teulu Wolf o Siecoslofacia oedd yn gyfrifol am y rhan fwyaf o'r sioe, sef pum act. Roedd tri brawd, eu gwragedd a'r plant, a phob un yn berfformwyr o fri. Roedd dau glown, boi doniol iawn o Dde America a Jock.

Yn raddol daeth y sioe at ei gilydd. Yn anffodus, doedd y busnas ddim yn dda ac o ganlyniad dim ond hanner cyflog a gawson ni am yr wythnos gyntaf. Doedd pethau fawr gwell yn ystod yr wythnosau wedyn. Gan fod pawb yn poeni am eu cyflog, gwaethygu wnaeth y sioe a'r hwyliau. Mae'n debyg fod gan y teulu ddyledion mawr ac felly, hyd yn oed pan fyddai busnas yn dda, roedd yn rhaid talu'r dyledion cyn talu'r artistiaid a'r gweithwyr.

Rhaid cofio fod rhedeg syrcas yn fusnas drud. Rhaid talu am ddefnyddio'r maes, costau symud y cerbydau o le i le, bwydo'r holl anifeiliaid ac argraffu miloedd o bosteri ar gyfer pob lleoliad, a hyn cyn dechrau talu cyflogau. Penderfynodd Jock, Cathy a finnau roi ein harian i gyd mewn un pwrs. Diolch byth bod Cathy'n dda am wneud prydau blasus am y nesa peth i ddim. Fel hyn, bydden ni'n cael llond bol o fwyd.

Doedd pethau ddim yn hawdd ar y teulu Wolf chwaith; roedd cymaint ohonyn nhw. Dwi'n cofio gweld gwraig y brawd hynaf yn morio crio ryw fore.

'O bechod,' meddyliais, 'mae hon yn poeni am yr arian.' Ond wedi holi, cefais ateb go annisgwyl. Mewn Saesneg bratiog eglurodd ei bod yn dioddef yn ofnadwy efo peils a doedd hi ddim yn gallu mynd i weld y meddyg gan nad oedd car ganddi. Cynigiais fynd â hi. Rhoddais glustog ar set y pasinjyr, a ffwrdd â ni i'r syrjyri agosaf. Ynof fi oedd yn gorfod egluro fod yr acrobat o Tsiecoslofacia isho eli i roi ar ei pheils!

Y diwrnod wedyn daeth Ivana draw ataf yn wên o glust i glust, yn amlwg yn teimlo'n well. Rhoddodd fag papur yn fy llaw yn llawn o gerrig *diamanté* o bob maint. Anrheg am ei chludo i'r syrjyri. Dach chi'n gweld, mae llawer iawn o *diamanté* yn y Weriniaeth Tsiec. Bwriad y teulu oedd dod â'r *diamanté* i Brydain, er mwyn eu gwerthu i artistiaid eraill. Yn anffodus, doedd gan artistiaid Syrcas King ddim arian i brynu bwyd, heb sôn am brynu *diamanté*. Felly, pan fyddai Ivana mewn poen byddwn yn ei chludo at y meddyg a byddwn yn cael bagiad arall o *diamanté*. Bob tro am flynyddoedd wedyn, wrth wnïo carreg arall ar wisg, byddwn yn meddwl am Ivana druan a'i pheils! Eto, er gwaetha'r *diamanté,* llwm iawn oedd pethau ar Syrcas King.

Yn raddol dechreuodd pobol adael. Roedd Yeli'n yfed mwy nag erioed ac yn crwydro o amgylch y syrcas yn sibrwd wrthi hi ei hun mewn Norwyeg. Roedd Jeffrey'n cuddio yn ei garafán. Penderfynais innau adael. Doedd dim pleser bod yn rhan o'r sioe a doedd fy sefyllfa ariannol ddim yn dda ar ôl chwe wythnos heb gyflog llawn. Cefais fy achub.

Daeth Jessie Fossett ata i â chynnig fyddai'n

achub y sefyllfa. Dros baned, eglurodd Jessie ei bod hi a John yn bwriadu ailgychwyn eu sioe eu hunain. Cynigiodd waith i Jock, Cathy a minnau. Sioe fach fyddai hi, eglurodd Jessie, a dim ond cyflog bach roedd hi'n ei gynnig. Eto i gyd, byddai derbyn cyflog bach yn rheolaidd yn well na'r sefyllfa bresennol efo Syrcas King. Derbyniais y cynnig.

Y bore canlynol, aeth Jock a mi i garafán Jeffrey a Yeli er mwyn dweud ein bod yn gadael. Bu'n rhaid curo ar y drws ddwywaith cyn cael ateb. Edrychais drwy ffenest y gegin a gweld Jeffrey a Yeli yn cuddio y tu ôl i'r soffa. Pan welon nhw mai ni oedd yno daeth Yeli at y drws ac egluro eu bod yn cuddio rhag y ffarmwr oedd am gael ei dalu. Dechreuodd Jeffrey weiddi o'r tu ôl i'r soffa pan glywodd ein bod yn gadael.

'Don't go, you bastards... We'll go to Scotland. Everyone makes money in Scotland. We'll go up there. I'll buy you a kilt and we can all eat porridge. We'll go to Scotland...'

Boncyrs! Safodd Yeli'n sigledig ar ei thraed yn ei chôt ffwr fawr, frown dros goban bygddu. Dechreuodd ddweud rhywbeth mewn Norwyeg, yna troi at y Saesneg a chodi ei bys nes ei fod bron â chyffwrdd fy nhrwyn. Gwthiodd ei phen yn nes ataf nes bod arogl y wisgi yn gwneud i'm llygadau ddyfrio a gweiddi,

'Fuck off then. You can piss off now. Today. Get off our circus, you ungrateful bastards.' Cymerodd gam sigledig yn ôl i mewn i'r garafán a chau'r drws yn glep yn ein hwynebau.

A doeddwn i ddim yn difaru gadael.

PENNOD 7

SYRCAS Y FOSSETT BROTHERS

Ar ôl cyrraedd, y person cyntaf welais i oedd Methusela, mam Jessie Fossett. Roeddwn ar fy ngliniau'n weindio'r jacs i lawr o dan y garafán pan deimlais rhywun yn cicio 'nhroed. Codais fy mhen a gweld wyneb hen, hen efo sigarét yn hongian yn beryglus allan o gornel ei cheg.

'*Where have you been, Cuthbert?*' meddai mewn llais dwfn. '*'Ave you fed the monkey?*'

Codais a chyn i mi gael amser i ateb, daeth Jessie o rywle. '*Mother! Get in the wagon. That's not Cuthbert, how many times do you need telling? Cuthbert's been dead for years, and so's the bloody monkey.*' Syllodd yr hen wraig arnaf am funud cyn dweud, '*He looks like Cuthbert to me. Who is he then?*' Winciodd Jessie arnaf cyn fy nghyflwyno.

'*Mother, this is Darvill.*'

Roeddwn wedi hen flino ar ddweud wrth bobol sut i ynganu f'enw'n gywir.

'*He's coming with us on the slang.*'

'*Scargill? What sort of a name is that?*' meddai'r

hen wraig cyn troi ar ei sowdl a cherdded i ffwrdd yn pesychu a phoeri.

'Don't worry about Mother,' meddai Jessie. *'She has some good days.'*

'O'r Arglwydd,' meddyliais, 'mwy o blydi nytars!'

Er mai Janet oedd enw mam Jessie, roedd pawb yn ei galw'n Sister Fossett. Pan oedd yn ifanc roedd hi'n dipyn o seren yn gweithio mewn act trapîs efo'i rhieni a'i brodyr. Mae'n debyg fod Sister yn enwog am ei harddwch ac am ei gwisgoedd secsi. Anodd credu! Priododd â'i chefnder cyntaf, Claude Fossett, a chychwyn eu sioe eu hunain. Jessie oedd eu hunig blentyn, ac yn ôl ei mam, yn *thoroughbred* Fossett.

Roedd Jessie hefyd yn ddawnus, a'i steil arbennig ei hun ganddi. Yn hardd fel ei mam, cafodd gynigion i weithio efo cwmnïau syrcas mawr y byd. Ond arhosodd yn driw i'w rhieni, gwrthod pob cyfle a dewis disgleirio ym mhabell fach syrcas y Brodyr Fossett.

Creadur tawel oedd John, cariad Jessie, wedi'i hudo gan fyd y syrcas, a'i swyno gan y ferch gwallt coch. Dyn tal a thenau yn edrych fel petai pwysau'r byd ar ei ysgwyddau. Er hynny, roedd ganddo hiwmor tawel. Roedd Jessie erbyn hyn yn ei 50au cynnar, ond roedd yr un disgleirdeb i'w weld yn ei llygaid ac roedd pob symudiad yn berfformiad ganddi. Bob dydd byddai pawb yn casglu o amgylch bwrdd y gegin i drafod y cynlluniau ar gyfer y sioe. Y bwriad oedd teithio i fyny i ogledd Cymru, a bod ar Ynys Môn erbyn gwyliau'r haf. Dyma drefn Syrcas Fossett Brothers bob blwyddyn. Yn wir, roedd Jessie'n teimlo fel petai wedi ei magu yng Nghymru ac roedd yn amlwg yn edrych 'mlaen at ddychwelyd yno.

'We won't need bills when we get up there,' meddai Sister un diwrnod, *'not when they find out that Jessie's back. They love Jessie up there.'*

Wrth gwrs, ychydig o bobl fyddai'n cofio'r ferch gwallt coch erbyn hyn, ond doedd gan neb y galon i egluro hynny i Sister druan.

Sioe fach fyddai hi, eglurodd John; Jock yn gwneud y clownio, Jessie'n cyflwyno'r cŵn, yn troelli platiau ac yn gwneud act gowboi efo Pamela. Sister wedyn yn cyflwyno hen geffyl bach gwyn o'r enw Pip. *'That act's got the combined age of 150,'* meddai John ryw ddiwrnod. Merch newydd o'r enw Louise ar y trapîs a fi fyddai'r *ringmaster* ac yn gwneud dwy act, y jyglo a'r balansio cleddyfau.

'Don't worry,' meddai John ryw fore, *'we've got a lad to do the heavy work. We've had him for years. His name's Sandy and he's very handy.'*

Diolch byth am hynny, meddyliais gan 'mod i'n poeni mai fi, y person ieuengaf yno, fyddai'n gorfod gwneud y gwaith trwm. Cofiwch, doedd 'na ddim golwg rhy handi ar Sandy pan welais i o gyntaf. Roedd y *lad* yn 60 mlwydd oed ac yn gloff!

Felly, tair lorri, dwy fan, dau geffyl, hanner dwsin o gŵn a chriw bach o naw o bobol gychwynnodd ar dymor newydd efo Syrcas y Fossett Brothers. Buon ni am ddau ddiwrnod yn codi'r babell ac yn ymarfer ar gyfer y diwrnod agoriadol. Roedd yr offer newydd yn sgleinio yn haul y gwanwyn a'r cyfan yn bictiwr. John oedd yn gyfrifol am werthu'r tocynnau ac am weithio'r system sain. O'r munud y cychwynnodd y sioe gyntaf, teimlais yn gartrefol. Daeth cynulleidfaoedd da i'n gweld ac yn aml byddai'r un bobol yn dod 'nôl dro ar ôl tro i weld y sioe.

Doedd 'na ddim byd arbennig am yr eitemau. A dweud y gwir roedd ambell act wan, ond rywsut, roedd y sioe'n llwyddiant. Roedd yn hawdd creu awyrgylch hwyliog yn y babell fach. Roedd Jock ar ei orau mewn pabell fach, yn llwyddo i gael ymateb da gan y plant. Byddai'r plant wrth eu bodd efo triciau syml y cŵn a'r ceffylau ac wrth gwrs Jessie oedd y seren.

Yn fuan yn ystod y tymor, dechreuais ymarfer act newydd. Roeddwn yn teimlo bod angen newid yr act falansio gan fod nifer yn perfformio act debyg iddi. Eto i gyd, roeddwn i'n awyddus i barhau efo elfen o'r balansio. Cofiais weld fideo o rywun yn balansio pagoda ar ei dalcen ac yn eistedd ar feic un olwyn yr un pryd. Roedd beic un olwyn yn rhy anodd i mi ond roeddwn eisiau gweithio ar y tric efo'r pagoda a dringo ysgol uchel, fel efo'r act balansio cleddyfau.

Y syniad oedd balansio ffrâm o ddefnydd siâp pagoda Tsieiniaidd ar bolyn ar fy nhalcen. Wedyn, byddai'n rhaid i mi ychwanegu wyth o bolion eraill i greu siâp y pagoda. Wedi ychwanegu'r polion, y bwriad oedd dringo'r ysgol, dal i falansio'r cyfan ar fy nhalcen cyn dod 'nôl i lawr a thynnu'r pagoda'n ddarnau, bolyn wrth bolyn.

Dysgais ei bod hi'n haws balansio pagoda efo ffrâm drwm, felly aeth Jock ati i weldio ffrâm haearn at ei gilydd. Gyda help Cathy, aethon ni ati hefyd i greu'r siâp iawn. Wedyn, byddwn yn ymarfer bob dydd, am tua dwy awr yn ystod y prynhawn. Am fisoedd, byddai'r cyfan yn syrthio dro ar ôl tro. Yn aml, byddai'n rhaid gwisgo colur yn y sioe gyda'r nos er mwyn cuddio llygad du a chleisiau'r ffrâm oedd wedi syrthio ar fy mhen. Ond wedi misoedd o ymarfer cyson, dechreuais ddod i ddeall y gamp ac erbyn diwedd y tymor, roeddwn yn ddigon hyderus i berfformio'r act o flaen cynulleidfa.

Cawsom haf bendigedig yng ngogledd Cymru, a'r babell yn aml yn llawn. Wrth gwrs, doedd pob lleoliad ddim cystal ac yn yr Wyddgrug buodd yn rhaid canslo bron pob perfformiad gan nad oedd digon o gynulleidfa. Y rheol ym mhob syrcas yw bod rhaid canslo perfformiad pan fydd y gynulleidfa'n llai na nifer y perfformwyr. O gofio mai dim ond naw oedd yn perfformio efo Syrcas y Brodyr Fossett, mae'n rhaid fod pethau'n ddrwg yn yr Wyddgrug.

Ychydig wythnosau ynghynt, dywedodd Sister, *'Just you wait till we get to Mold, Scargill. We won't be able to hold 'em. Last time we were there we were turning 'em away, and the kids are little bleeders there too, they'll eat us alive.'* Wel, ychydig iawn o blant a welson ni yn yr Wyddgrug ac ysgydwodd Sister ei phen mewn anobaith. Beiodd y cyfan, fel arfer pan oedd pethau'n mynd o'i le, ar John druan. *'Why has that long thing brought us here? We'd be better off at the bastard farm with a bit of bastard bread and cheese!'*

Ar ddiwedd y tymor, cytunais i ddod 'nôl y flwyddyn wedyn at Syrcas y Fossett Brothers, ond roedd yn rhaid cael gwaith dros y gaeaf. Drwy lwc cefais gytundeb efo syrcas mewn hen blasty ychydig filltiroedd y tu allan i dref Brigg, yn swydd Lincoln. Er bod y teulu bonheddig yn dal i fyw yn y tŷ, roedd y gerddi wedi eu hagor i'r cyhoedd a chanolfan arddio yno. Er mwyn denu'r siopwyr Nadolig, roedden nhw am gael syrcas. Dyn o'r enw Ricky, aelod o hen deulu syrcas, oedd yn gyfrifol am drefnu'r sioe a phan gyrhaeddais, eglurodd ei fod yn cynnal y syrcas er mwyn gwneud digon o arian i dalu am lawdriniaeth i roi gwallt ar ei ben!

Roedd yr arian yn dda a'r sioe'n dod i ben ychydig ddyddiau cyn y Nadolig fel y gallwn fod adref yn Port ar gyfer y dathlu. I goroni'r cyfan, cafodd Jock a Cathy gytundeb yno hefyd. Cawsom amser ardderchog, y cwmni o artistiaid yn llawn hwyl a chinio 'Dolig bob dydd yn rhad ac am ddim yng nghegin y plasty. Gyda llaw, daeth Ricky i weld Syrcas y Fossett Brothers yr haf canlynol, â'i ben yn garped o wallt trwchus.

Wedi ychydig wythnosau o 'dendans' Mam yn Port, cychwynnais ar fy ail dymor efo John a Jessie. Roedd hwn eto'n dymor hapus efo pawb erbyn hyn yn deall ei gilydd a minnau'n perfformio'r act newydd. Wedi misoedd o gyflog rheolaidd gallwn fforddio offer newydd, proffesiynol yr olwg. Bu Cathy'n garedig iawn yn fy helpu i greu gwisgoedd mwy safonol. Gallai greu siwt gyfan heb unrhyw fath o batrwm a chawson ni oriau o bleser yn chwilio am ddefnyddiau swanc. Wedyn bydden ni'n addurno'r gwisgoedd, yn aml efo *diamanté*'r peils.

Cawson ni nifer o nosweithiau difyr yn y dafarn leol yn gwrando ar Jock yn adrodd ei straeon am y syrcas. Ambell dro byddai Sister yn ymuno â ni, yn gwisgo côt ffwr enfawr ac yn drewi o arogl *moth balls,* a byddai llwch o'r ffwr yn codi wrth iddi symud. Cyn eistedd, byddai'n mynnu cyflwyno ei hun i berchennog y dafarn. '*Good evening,*' meddai, mewn acen grand, '*I'm Mrs Fossett from the circus and I'm here to sample your hospitality*.' Cyn diwedd y noson, ar ôl gwydraid neu ddau o stowt, byddai'r acen wedi diflannu a'r tafarnwr yn cochi wrth wrando ar iaith fras yr hen wraig.

Pan oedd y sioe yn Cirencester, daeth Peter Featherstone, perchennog Syrcas Olympus, i weld y sioe. Daeth draw i 'ngharafán i wedi'r sioe a chynnig cytundeb i mi ar gyfer y flwyddyn ganlynol. Ar y pryd, roedd Syrcas Olympus yn cael ei hystyried ymysg y gorau, ac roedd Sean, mab Jock a Cathy, eisoes yn gweithio yn y syrcas honno ac wrth ei fodd. Felly, arwyddais y cytundeb heb oedi ac edrych ymlaen at brofi tymor mewn sioe fawr, lwyddiannus. Pan ddaeth diwrnod olaf y daith, roedd hi'n anodd dweud hwyl fawr wrth bawb. '*Good luck Scargill,*' meddai Sister cyn diflannu i'w charafán. Roedd ffarwelio efo Jock a Cathy ar ôl tair blynedd yn anodd iawn.

Bu farw Sister Fossett ychydig wythnosau wedyn, wedi perfformio yn y cylch tan y diwedd. Roedd Sister yn perthyn i genhedlaeth arall, wedi ei geni mewn carafán ac wedi gorfod gweithio'n galed ar hyd ei hoes. Ond yn bwysicach, roedd Sister yn gwybod sut i anghofio'r caledi, sut i guddio'r cyfan mewn secwins a ffwr, a sut i ddiddanu.

PENNOD 8

SYRCAS OLYMPUS

'WEL AM LWMPYN TEW,' meddyliais wrth edrych ar y lluniau! Cyn cychwyn y tymor efo Syrcas Olympus, gofynnodd Peter Featherstone am luniau ohona i ar gyfer y rhaglen ac felly i ffwrdd â fi i dynnu llun. Wrth gwrs, roeddwn wedi bod ym Mhorthmadog drwy'r gaeaf yn gwneud dim ond bwyta, ac wedi magu tair gên a bol fel Dai Jones. I fyny i'r stafell molchi a sefyll ar y glorian. Na, doedd y camera ddim yn dweud celwydd. Roeddwn ryw dair stôn dros fy mhwysau.

Panig! Byddai'n rhaid colli o leiaf ddwy stôn mewn pythefnos. Am y pythefnos nesaf, gwrthodais bob teisen, troi fy nhrwyn ar y creision a bwyta salad. Do, fe lwyddais i golli dwy stôn. O ganlyniad, doedd y secwins ddim yn grwgnach gormod. Ond yn anffodus, wyneb yr hen Billy Bunter oedd yn y rhaglen am y tymor cyfan.

Cychwynnodd y daith ym Marlborough, Wiltshire, wedi tri diwrnod o ymarferion.

Doedd y babell ddim yn fawr iawn, felly roedd yr awyrgylch yn dda hyd yn oed pan oedd hi'n hanner llawn. Fyddai Peter Featherstone ei hun ddim yn teithio efo'r sioe drwy'r amser. Martin oedd y rheolwr a fyddai'n cadw llygaid barcud ar y cyfan. Sean, mab Jock a Cathy, oedd y *tentmaster*, dyn cystal â'i dad. Roedd Sean hefyd yn perfformio act gowboi, yn troelli ar y rhaffau ac yn taflu cyllyll o amgylch corff siapus ei wraig Jane.

Roedd rhaglen Syrcas Olympus yn llawn amrywiaeth. O Tangier ym Morocco roedd y Brodyr Menzah yn dod, sef pump o frodyr, pump acrobat. Mohcine, y brawd ieuengaf, oedd yn perfformio'r act beryglus ar y trapîs. Roedd y Duo Galos o Hwngari – y tad, Julius, yn balansio polyn anferth ar ei dalcen a'i fab, Alex, yn perfformio pob math o gampau ar ben y polyn. Roedd merch o'r enw Alexia'n cyflwyno pump o gŵn Samoyed gwyn blewog, a Rob Alton yn perfformio act fodern iawn ar feic BMX. Roedd Rob yn gyn-bencampwr byd ar y beic BMX ac wedi addasu'i sgiliau ar gyfer y syrcas i greu act boblogaidd iawn. O'r Eidal roedd y ddau glown, gŵr a gwraig o'r enw Philip a Roberta. Roedd mam Philip o deulu'r Fossetts. Yn fuan wedi i Philip gael ei eni symudodd y teulu i berfformio yn yr Eidal a dyna lle y cwrddodd â'i wraig Roberta, merch hynod o ddeniadol ond â thymer Eidales! Tom Roberts, o deulu syrcas arall, oedd yn berchen ar y ceffylau, wyth o feirch Palamino gosgeiddig.

Ac yno hefyd roedd fy hen ffrind o ddyddiau Syrcas Weights, Robert Foxhall. Erbyn hyn roedd yn berfformiwr gwych, yn gwneud pob math o gampau dychrynllyd ar y *Roman rings* yn nenfwd y babell. Martin, rheolwr y sioe, oedd y *ringmaster* a chytunais i weithio fel *ringmaster* pan na fyddai Martin ar gael, yn ogystal â pherfformio fy act falansio.

Ond oherwydd y newid yn agwedd y cyhoedd tuag at anifeiliaid yn y syrcas, dim ond ceffylau a chŵn oedd yn y sioe – dim llewod, teigrod nac eliffantod. Wedi agoriad llwyddiannus yn Marlborough, symudodd Syrcas Olympus i dde Cymru. Aethon ni i Lanelli, Pen-y-bont ar Ogwr, Abertawe ac wedyn tair wythnos yng Nghaerdydd dros wyliau'r Pasg.

Yna 'nôl i swydd Efrog, yn griw agos a chyfeillgar. Rob y BMX a Robert Foxhall oedd fy ffrindiau pennaf ac yn aml bydden ni'n bwyta efo'n gilydd. Rhaid i mi gyfaddef mai dyna dwi'n ei gofio am y daith – dod o hyd i le bwyta newydd mewn tref wahanol bob wythnos, ond heb orfwyta, wrth gwrs.

Buon ni'n teithio o amgylch yr Alban ac

aethon ni i drefi hyfryd fel Huntley, Elgin a Forres, yn ogystal â'r trefi mawr fel Aberdeen a Perth. Cawsom wythnos fendigedig yn Inverness ac ychydig ddyddiau ar y traeth yn Arbroath cyn dringo'r mynyddoedd i'r trefi gogleddol Wick a Thurso, sydd ddim yn bell o John O'Groats.

Erbyn hyn roedd gen i lorri fach i dynnu fy ngharafán. Un o'r teithiau cyntaf yn y lorri oedd dros y mynyddoedd i Wick, taith a gododd ofn arna i gan fod y ffordd yn ofnadwy o serth a throellog. Un lorri ar y tro fyddai'n dringo'r mynydd mwya serth, jyst rhag ofn i un o'r lorïau ddechrau rowlio 'nôl i lawr. Er y golygfeydd godidog, roeddwn yn falch iawn o gyrraedd Wick, yn chwysu'n slobs. Rown i mor falch 'mod i, y lorri a'r garafán wedi llwyddo i gyrraedd yn un darn.

'That's nothing compared to the roads in Italy, cock,' meddai Philip. *'Here, they're just hills compared to the mountains there.'*

Wel, Philip bach, meddyliais, fe gei di stwffio dy fynyddoedd yn yr Eidal.

Daeth taith Syrcas Olympus i ben ar y cae rasio yn Cheltenham ganol mis Tachwedd. Yn hytrach na thrafferthu mynd â'r lorri a'r garafán adref i Borthmadog, es â nhw draw yn syth i ffarm Gerry Cottle yn Weybridge a'u parcio yno.

Dyna lle byddwn yn gweithio yn ystod y gaeaf. Roedd ychydig o wythnosau gen i i lanhau'r gwisgoedd cyn cychwyn tymor y Nadolig.

Erbyn hyn roedd Gerry wedi penderfynu peidio â llwyfannu ei syrcas flynyddol yn Wembley. Yn hytrach, llwyfannodd syrcas mewn dau le enwog yn Llundain – tair wythnos cyn y Nadolig ar faes parcio yn Alexandra Palace ac wedyn tair wythnos dros gyfnod y Flwyddyn Newydd ar faes parcio yn Crystal Palace.

Gan mai dim ond cŵn a cheffylau oedd yr anifeiliaid yn y rhaglen, canolbwyntiodd Gerry ar gynhyrchu sioe oedd yn debycach i sioe lwyfan. Delia Du Sol oedd yn perfformio act *contortionist*. Dyma'r act mwyaf anghyffredin, a hithau'n plygu ei chorff i bob math o siapiau. Uchafbwynt yr act oedd dod â photel blastig fawr i ganol y cylch a Delia wedyn yn camu i mewn iddi. Byddai'n rhaid iddi wasgu a phlygu ei chorff i bob siâp cyn llwyddo. Wedyn, byddwn i'n gwneud ystumiau dramatig ac yn gwthio corcyn anferth i geg y botel.

Merchaid Gerry Cottle oedd yn rhedeg y sioe erbyn hyn, y criw yn ifanc ac yn frwdfrydig a digon o hwyl i'w gael. Roedd y babell yn cael ei chodi ar y maes parcio. Y broblem yn Alexandra Palace oedd y rhew. Roedd maes y syrcas yn llithrig ac yn sgleinio fel gwydr. Rhewodd y dŵr yn y carafannau a rhaid oedd cael gwresogydd arbennig fel nad oedd dŵr y ceffylau yn rhewi. Yn Crystal Palace roedd y maes yn berwi o lygod mawr. Yn 'y ngwely, gallwn eu clywed yn cnoi o dan y garafán, yn trio dod i mewn ata i. Diolch byth bod Oxo yno i'w cadw draw. Cyfnod llwyddiannus iawn, er hynny.

Cyn i'r cytundeb ddod i ben, daeth Sarah, merch hynaf Gerry, ataf a gofyn a fyddwn yn aros am ychydig wythnosau eto. Roedd wedi penderfynu parhau i deithio am weddill y gaeaf. Felly cefais waith drwy'r flwyddyn ac arhosais efo Syrcas y Chwiorydd Cottle tan ddechrau Mawrth. Roedd yr wythnos yn y theatr yn Wimbledon yn arbennig o dda. Gwnaeth Sarah ei gorau i 'mherswadio i aros efo nhw am weddill y flwyddyn ond roeddwn wedi rhoi fy ngair i Syrcas Bobby Roberts. Felly, â Syrcas y Chwiorydd Cottle ar y comin yn Woolwich, cychwynnais ar fy nhaith i fyny'r M1 i Northampton, i ymuno efo criw Syrcas Bobby Roberts.

PENNOD 9

SYRCAS BOBBY ROBERTS

DAMWAIN OEDD HI FOD Bobby Roberts wedi saethu bys ei wraig, Moira, i ffwrdd. Sylwais ar y stwmpyn bach oedd ar ôl wrth iddi wneud paned. Roeddwn yn eistedd yng ngharafán fawr, foethus Bobby a Moira Roberts.

'You'll find that we're one big family here dear,' meddai Moira, mewn acen Albanaidd drom. *'Not like those other shows. We look after our people.'* Tolltodd y coffi ac ychwanegu dwy lwyaid o siwgr – y stwmpyn yn gweithio'n ddygn wrth iddi droi'r coffi, *'... and all we ask is for a little loyalty in return.'*

Wrth i mi gymryd cegaid o'r coffi teimlais y garafán yn crynu a'r llestri'n dawnsio ar y bwrdd. Edrychais drwy'r ffenest a gweld fod Kitty, merch Bobby a Moira yn dringo grisiau'r garafán, a'i breichiau'n llawn bagiau siopa. Gwthiodd y drws ar agor efo'i phen-ôl helaeth ac wrth iddi droi, collodd hanner cynnwys un o'r bagiau ar y grisiau.

'Oh Kitty be careful,' gwaeddodd Moira, *'you've*

just dropped a gateau! You're so clumsy, girl, and that's your dad's favourite.'

Clywais ffôn yn canu'n rhywle a dechreuodd Moira edrych o gwmpas y gegin.

'It's the crappy bags, Mum,' meddai Kitty a'r chwys yn llifo a'i bochau llawn yn goch dan y straen.

Erbyn hyn doedd Moira ddim yn gwrando ar ei merch gan fod rhywun yn trio archebu tocynnau ar gyfer y sioe.

'Don't worry about the cake, Mum,' meddai Kitty. *'I got two anyway so the dogs can have that one.'* Agorodd ddrws yng nghefn y garafán a rhedodd dau bwdl bach brown allan gan gyfarth yn gyffrous.

'There you are,' meddai Kitty. *'Go and eat the cake.'*

Edrychais drwy'r ffenest ar y ddau bwdl yn cael gwledd ar y grisiau, a'u blew cyrliog yn gaglau o hufen a jam. Dysgais yn fuan mai fel hyn roedd hi yng ngharafán Bobby a Moira, pawb ar draws ei gilydd, pawb yn siarad am bethau gwahanol ar yr un pryd. Bobby oedd canolbwynt y bwrlwm wrth gwrs, ei enw fe oedd ar y lorïau, ar y posteri ac ar y tocynnau.

Yn ystod y 70au a'r 80au, roedd Bobby'n enwog am ei chwe eliffant talentog, y chwech wedi eu henwi ar ôl merchaid y teulu. Roedd

Bobby a'r 'genod' wedi perfformio efo pob syrcas fawr yn Ewrop, ond erbyn i mi ymuno efo'r sioe, dim ond tri eliffant oedd ar ôl. Byddai Bobby hefyd yn perfformio act saethu balŵns gyda Moira'n dal y balŵns i Bobby. Dyna sut y collodd Moira druan ei bys. Symudodd y balŵn ar yr eiliad olaf a dyma'r bwled yn taro ei bys, gan chwalu ei modrwy briodas yn shwrwd. Cafodd aelodau'r band oedd yn eistedd tu ôl iddi gawod o waed a chnawd.

Erbyn hyn roedd Moira wedi rhoi'r gorau i berfformio, a hi oedd yn gwneud y gwaith gweinyddol ac yn cadw llygad barcud ar bob dim. Bobby oedd seren y sioe ac yn gyfrifol am yr anifeiliaid – y ceffylau, y camel a'r lamas, yn ogystal â'r eliffantod. Kitty, ei ferch, oedd yn cyflwyno'r cŵn a Little Bob, ei fab, oedd y clown. Roedd Kitty'n ferch lond ei chroen ond roedd ganddi steil perfformio ei thad ac roedd hi'n gallu trin cynulleidfa.

Yn anffodus, doedd Little Bob druan ddim yn berfformiwr naturiol – dyna pam oedd e'n gwisgo siwt clown. Roedd yn perfformio efo corrach bach tew o'r enw Little Willy. Pan fyddai Willy yn cymryd ffansi at ferch, byddai'n ei chyfarch drwy ddweud, *'Hello. I'm Little Willy, but don't let the name fool you! I've got a huge personality.'* Coeliwch neu beidio, roedd Willy'n boblogaidd iawn efo'r merchaid! Bachgen tawel o Hwngari oedd Pisti, cariad Kitty, acrobat a jyglyr ardderchog – pob perfformiad yn berffaith, ei wisg yn dwt a'i offer yn raenus. Yn amlwg roedd yn ystyried Kitty'n dipyn o *catch*, merch i berchennog un o syrcasys mwyaf Prydain.

Roedd teulu arall yn teithio efo'r sioe hefyd, y Rosaires, hen deulu o berfformwyr syrcas. Derrick, y tad, oedd yn gyfrifol am yr holl lorïau tra byddai ei wraig Valerie'n rhedeg y siop gwerthu nwyddau. Roedd dau fab ganddyn nhw: Ivor, yr hynaf yn *ringmaster* ac yn edrych fel seren o ffilmiau Hollywood y 50au yn ei gôt goch, ei het sidan ddu a mwstas tenau. Ei frawd Paul oedd yn agor y sioe. Byddai'n marchogaeth ceffylau cyflym o amgylch y cylch, yna'n neidio'n ysgafn o gefn un ceffyl i'r llall yn ei wisg Robin Hood tra byddai'r 'William Tell Overture' yn chwarae yn y cefndir. Roeddwn i'n perfformio fy act balansio ac roedd yr hogia'n perfformio eu hact o dymblo a thrapîs. Byddai bachgen ifanc o'r enw Danny wedyn yn perfformio act dda ar gefn beic un olwyn a'i gariad Renatta o Wlad Pwyl, yn perfformio act osgeiddig ar raff yn uchel yn y babell.

Ar y cyfan roedd y daith yn un llwyddiannus a'r cynulleidfaoedd yn dda. Eto, roedd hi'n sioe galed gan fod yr offer yn drwm, y babell yn fawr a disgwyl i bawb helpu wrth symud o le i le. Aethon ni i ogledd Cymru dros yr haf, i Fae Colwyn, y Rhyl ddwy waith, Caernarfon, Caergybi, Biwmares a Llandudno, i gyd o fewn chwech wythnos.

Roedd yn rhaid cynnal dwy sioe bob dydd – hyd yn oed pan fydden ni'n ymweld â dwy dref mewn wythnos. Roedd hyn yn waith caled. Ar ôl cynnal dwy sioe ar y dydd Sul, byddai'n rhaid tynnu'r babell fawr i lawr a phacio'r holl offer, yna teithio i'r dref nesaf. Diolch byth fod y tywydd yn dda a'r trefi'n agos at ei gilydd. Wedyn, gweithio tan tua hanner nos i ailgodi'r babell yn syth wedi cyrraedd a chodi'r bore nesaf am chwech. Roedd dwy sioe ddydd Llun, un am 2 yn y prynhawn ac wedyn un arall am 7 yr hwyr. Wedi'r ail sioe nos Fercher, byddai'n rhaid pacio, tynnu'r babell a theithio unwaith eto.

Yn fuan iawn dysgais fod gan Bobby dymer yr un mor danllyd â'i wallt coch, ac yn aml roedd ei lais i'w glywed yn atseinio wrth iddo weiddi ar y gweithwyr. Ar adegau gallech gredu ei fod yn perthyn i'r oes a fu, oes pan fyddai'r rheolwr yn trin ei weithwyr fel baw ac eto'n disgwyl cael parch. Mynnai Bobby fod y gweithwyr yn ei alw'n 'Mister Bobby' a phe meiddiai unrhyw un ei gwestiynu, byddai'n colli ei dymer yn lân.

Dwi'n amau hwyrach fod Bobby heb sylwi fod yr oes wedi newid. Pe bai gweithiwr yn gadael y sioe wedi ffrae, byddai'n dweud, *'I don't understand it. We treat them well here. They get paid every Monday.'*

Yn ystod yr haf, cefais gyfle i berfformio yn Ffrainc am chwe wythnos. Ac roedd y cynnig yn apelio. Y broblem oedd bod Bobby yn mynd â'i syrcas bob blwyddyn i Glasgow a'i fod o a Moira'n awyddus iawn i mi fynd efo nhw. Ond, doeddwn i ddim erioed wedi perfformio mewn gwlad dramor ac roedd y tâl yn dda. Felly rhaid oedd dweud wrth Bobby 'mod i'n bwriadu mynd i Ffrainc ond y byddwn wrth fy modd yn dod yn ôl yr haf canlynol.

Chwarae teg, derbyniodd Bobby a Moira fy mhenderfyniad a daeth y daith i ben yng nghanol mis Tachwedd. Daeth Mam a Dad i 'nôl Oxo ac i dderbyn fy anrhegion Nadolig. Dim ond ychydig ddyddiau'n unig oedd gen i i yrru o Lerpwl i Dijon yng nghanol Ffrainc. Felly, roedd yn rhaid dweud, 'Ta-ta Bobby', a *'Bonjour la France'*.

PENNOD 10

FFRAINC

HWYLIODD Y LLONG ALLAN o Dover ac erbyn 8 o'r gloch y bore canlynol roeddwn yn gyrru allan o borthladd Calais. A do, mi gofiais fod yn rhaid gyrru ar yr ochor arall i'r ffordd. Roeddwn wedi cael cyfarwyddiadau fy mod i barcio mewn pentref bach o'r enw Genlis, tua 10 milltir i'r de o Dijon. Er ei bod hi wedi tywyllu erbyn cyrraedd, drwy lwc, des o hyd i'r lle parcio a chael croeso gan hen ffrind o'r enw Luisito, perfformiwr arall yn y syrcas.

Bydd y rhan fwyaf o gwmnïau mawr Ffrainc yn trefnu adloniant ar gyfer teuluoedd eu gweithwyr dros gyfnod y Nadolig, efo canran fach o gyflogau'r gweithwyr yn cael ei gadw er mwyn talu am y sioeau gala yma. Felly mae cytundeb ar gyfer y galas yn Ffrainc yn boblogaidd gan fod arian da i'w gael efo'r posibilrwydd o fwy nag un gala mewn diwrnod. Cyn arwyddo'r cytundeb roeddwn wedi cytuno ar ffi ar gyfer pob gala ac wedi cael sicrwydd y byddwn yn perfformio mewn o leiaf ddeuddeg yn ystod y daith.

Yn Ffrainc asiant Ffrengig oedd yn delio efo'r contract a'r bore canlynol daeth Monsieur Marcell Lance i'm gweld. Ei glywed wnes i gyntaf. Roedd ar ei ffôn symudol yn gweiddi nerth ei ben wrth gamu allan o'i gar moethus. Dyn tebyg iawn i Ronnie Corbett a hwnnw'n chwifio ei ddwylo fel melin. Martsiodd i mewn i'r garafán a thaflu ei *briefcase* swanc ar y sedd. Heb godi ei ben i edrych arnaf na dweud *'Bonjour'* nac ysgwyd llaw, aeth ati i weiddi a siarad pymtheg y dwsin mewn Ffrangeg.

Rŵan, cyn mynd i Ffrainc roeddwn yn eithaf hyderus y byddwn yn cofio gwersi Ffrangeg yr ysgol ond wrth wrando ar Marcell Lance, sylweddolais nad oedd gen i ddim gobaith. Yna cododd ei ben bach i edrych arnaf, gwgu dros ei sbectol drwchus ac estyn papurau.

'Writing your name please, Monsieur,' meddai gan estyn *fountain pen*. Llwyddais i gael cip ar y papurau cyn arwyddo ac roeddwn yn falch o weld fod y cyfan yn ddwyieithog a rhestr o'r trefi roedd disgwyl i mi eu cyrraedd ar gyfer y perfformiadau. Llofnodais. Cododd Marcell Lance a heb ddweud gair arall gadawodd.

Daeth Luisito draw yn syth a chwarddodd pan welodd fy wyneb.

'Don't worry about him,' meddai, *'he's always*

been a rude little bugger.' Dechreuais edrych drwy'r papurau a chymharu fy rhestr i efo rhestr Luisito. Roedden ni'n rhannu tua hanner y galas ac felly cytunon ni i deithio yno efo'n gilydd. Jyglwr oedd Luisito, a doedd ganddo ddim llawer o offer ac felly roedd hi'n haws rhoi'r cyfan yn fy lorri i a rhannu'r costau.

Tyfodd Genlis yn bentref rhyngwladol. Daeth teulu o glowns o'r Iseldiroedd, yna gŵr a gwraig o Rwsia â hanner dwsin o nadroedd anferthol, teulu o acrobatiaid o Fwlgaria a chonsurwyr o'r Swistir. Gan nad oedd yn bosib ymarfer, penderfynodd Luisito fynd i weld ei gyfnither oedd yn perfformio mewn syrcas ym Mharis. Roedd fy ffrind Rob, y perfformiwr beic BMX, hefyd yn gweithio ym Mharis. Felly dyma ni'n dau'n mynd efo'n gilydd.

Ym Mharis roedd parc enfawr ac yno, bob blwyddyn, byddai rhyw chwech o syrcasys mwyaf Ffrainc yn dod at ei gilydd dros y Nadolig. Wrth gerdded draw i garafán Rob, gwelais wynebau cyfarwydd, pawb yn hel clecs ac am glywed y newyddion diweddaraf o fyd y syrcas ym Mhrydain. Roedd Rob yn perfformio efo Syrcas Arlette Gruss a'r noson honno oedd y noson agoriadol. Y carped coch trwchus, y *paparazzi*, yr wynebau enwog, clustogau melfed coch ar bob sedd a'r *chandeliers* uwchben, popeth yn debycach i gynulleidfa opera na chynulleidfa syrcas!

Wedi tridiau ym Mharis, 'nôl â ni i Genlis ar gyfer penwythnos cyntaf y galas. Roedd y cyntaf mewn tref fach o'r enw Charnay-les-Macon a, diolch byth, roedd Luisito yn perfformio yno hefyd ac yn handi iawn efo'r map. Roedd y sioe mewn theatr fach ac mi aeth y cyfan yn hyfryd. Y diwrnod wedyn aethon ni i dref Vesoul i berfformio mewn pabell syrcas. Doedd Luisito ddim efo fi, ac ar y ffordd adref ffrwydrodd teiar ôl y lorri. Diolch byth bod olwynion dwbwl ar yr echel ôl ac felly llwyddais i yrru 'nôl i Genlis yn araf. Dyna gyflog y gala cyntaf wedi mynd ar deiar newydd!

Roedd Saint Savine lle roedd y gala nesa ymhell o Genlis, felly cychwynnais yn gynnar. Roedd y golygfeydd wrth ddringo dros y mynyddoedd yn odidog. Yn raddol gwaethygodd y tywydd, dechreuodd yr eira ddisgyn yn drwm ac roedd hi'n anodd gweld yr arwyddion. Yna dechreuodd y lorri dagu cyn dod i stop! Dyna lle roeddwn i, mewn storm o eira ar ochor mynydd rywle yn Ffrainc mewn lorri a honno ar stop.

Eisteddais yno am tua chwarter awr yn gobeithio y byddai'r tywydd yn gwella, ond os rhywbeth, gwaethygu wnaeth o. Cofiais fod blwch ffôn argyfwng tua milltir cynt, felly doedd dim dewis. Cerddais ar hyd ochr y ffordd ac ymhen rhyw ugain munud, cyrhaeddais y ffôn a 'nwylo fel talpiau o rew. Yn fy Ffrangeg bratiog triais egluro beth oedd wedi digwydd ond roedd rhywun digon diamynedd ar ben arall y ffôn a chyn bo hir, rhoddodd y ffôn i lawr. Rhegais cyn cychwyn 'nôl tuag at y lorri. Cerddais a cherddais. Doeddwn i ddim yn medru teimlo 'nhraed nac yn medru gweld gan fod yr eira'n chwythu yn fy wyneb. Yng nghefn y lorri, roedd hen flanced ac yno bues i, dan y flanced ddrewllyd, yn gwylio'r wlad o 'nghwmpas yn prysur ddiflannu.

'Wel, 'na ni,' meddyliais, 'dwi'n mynd i farw yn fan'ma dan hen flancad binc a fydd neb yn gwbod pwy ydw i.' Wedi bron i ddwy awr daeth mecanic allan o'r eira, yn wyn fel angel. Mewn dim o dro daeth o hyd i'r broblem, y ffilter disel yn llawn baw ac yn rhwystro'r tanwydd rhag cyrraedd yr injan. Gosododd ffilter newydd a thalais i 400F i'r angel. A dweud y gwir, byddwn i wedi talu unrhyw beth iddo.

Erbyn hyn, doedd dim pwynt mynd ymlaen. Byddai'r gala wedi hen orffen. 'Nôl â fi i Genlis ac allan o'r eira. Galwodd Marcell Lance y diwrnod canlynol a gweiddi arna i fod trefnwyr y gala yn Saint Savine wedi bod yn cwyno.

Gwnes fy ngorau i egluro ond doedd o ddim yn gwrando.

Es at Rob ym Mharis i ddathlu'r Nadolig. Roedd tair sioe ganddo fo ar ddydd Nadolig, felly fi fyddai'n gwneud y cinio 'Dolig traddodiadol. Rob oedd am gael y twrci a finnau'n prynu'r llysiau a phopeth arall. Y noson honno, noswyl Nadolig, cawson ni wahoddiad i fynd i'r Moulin Rouge i sioe a pharti Nadolig ar gyfer holl berfformwyr Paris. Dwy awr o blu, secwins a merchaid bronnoeth efo ambell act syrcas wedi'i gwau i mewn i'r sioe. Welais i 'rioed ddim byd tebyg. Roedd awyrgylch arbennig yno a'r *champagne* yn llifo tan yr oriau mân.

Fore'r Nadolig, dywedodd Rob fod y twrci yn ei fan a ffwrdd ag o i'r babell fawr. Agorais ddrws y fan ac ar unwaith ces i 'nharo gan arogl ofnadwy. Y blydi twrci'n drewi! Roeddwn bron â chyfogi wrth daflu'r aderyn drewllyd ar y sgip. Wel Rob, cinio 'Dolig fejiterian fydd hi eleni!

Roedd y gala olaf wedi ei drefnu ar gyfer Nos Galan mewn theatr fawr yng nghanol Dijon, a Luisito a finnau'n teithio gyda'n gilydd. Aeth y sioe'n wych ac roedden ni ein dau wrth ein boddau ar y ffordd 'nôl i Genlis. Roedd y gwaith yn Ffrainc wedi gorffen, ac yfory byddwn i'n teithio 'nôl i Calais a hwylio i Dover. Tua tair milltir o Dijon clywais sŵn ofnadwy yn dod o'r injan. Edrychais yn nerfus ar Luisito a dweud,

'Oh shit, here we go again!'

'Nôl yn Genlis, edrychodd Luisito ar yr injan a dweud,

'It's your big end, mate. It's gone.'

Bues i yn Genlis am bron i dair wythnos. Dywedodd pawb y byddai'n costio gormod i drwsio'r lorri. Sut felly oedd mynd â'r lorri farw a'r garafán 'nôl dros y dŵr? Diolch byth, daeth Jeff â lorri *breakdown* anferth i dynnu'r cyfan.

Un bore roeddwn i yn y maes parcio yn Genlis ar 'y mhen 'yn hun, pan gefais fy neffro gan sŵn curo uchel ar ddrws y garafán. Yno roedd dynes yn sefyll yn y glaw a'r dagrau yn llifo. Dechreuodd siarad ffwl-sbîd yn Ffrangeg. Gafaelodd yn 'y mraich, a 'nhynnu i allan y tu ôl i'r garafán a dangos ... corff yn y ffos! Dyna lle roeddwn i'n sefyll mewn *dressing gown* a slipars, yng nghanol y glaw, yn edrych ar gorff marw, a Ffrances yn cael sterics wrth fy ochr.

'Be ddiawl dwi fod neud rŵan?' meddyliais. Llwyddais i gael y ddynes i eistedd yn y garafán ac es i guro ar ddrws tŷ cyfagos. Drwy lwc, roedd y person 'ma'n siarad rhywfaint o Saesneg a llwyddais i egluro beth oedd wedi digwydd. Ffoniodd yr heddlu ac aethon nhw â'r corff i ffwrdd mewn ambiwlans. Wedi i bawb adael, dyna pryd y dechreuais grynu. Roeddwn yn wlyb at fy nghroen ac mewn sioc. Cofiais fod potel wisgi yn y cwpwrdd ac fe gymerais jochiad reit dda. Ond cyn i'r wisgi gael cyfle i gyrraedd fy stumog, daeth cnoc uchel arall ar y drws.

Agorais y drws a gweld yr un ddynes yno unwaith eto, yn crio'n waeth, os rhywbeth. Esboniodd pan ddaeth o hyd i'r corff ei bod yn mynd â'i chi am dro, a bod hwnnw wedi diflannu. Felly, i ffwrdd â fi allan i chwilio am y blydi ci. Crwydrais drwy'r coed efo'r ddynes wrth fy ochor yn gweiddi 'Pom Pom' am tua hanner awr cyn dod o hyd iddo yn sownd mewn weiran bigog. Es ato i drio'i ryddhau pan deimlais ddannedd miniog yn suddo i mewn i'm llaw. Oedd, roedd y blydi Pom Pom wedi fy mrathu.

'Voilà, Pom Pom,' meddwn wrth drosglwyddo'r ci iddi. Plygodd y ddynes a'i gofleidio cyn troi ar ei sawdl, heb unrhyw fath o '*Merci*' na gair arall!

Dwi 'rioed wedi bod mor falch o weld neb ag oeddwn o weld Jeff yn cyrraedd y maes parcio. Chwerthin wnaeth Jeff wrth glywed am fy holl helyntion. Na, fydda i byth eto'n cymryd cytundeb mewn gwlad dramor.

PENNOD 11

SYRCAS BOBBY ROBERTS UNWAITH ETO

WEDI CYRRAEDD 'NÔL O'R diwedd, dim ond ychydig wythnosau oedd gen i i ddod o hyd i lorri neu fan newydd ar gyfer tymor arall efo Syrcas Bobby Roberts. Ei frawd Tom ddaeth o hyd i fan addas yn y diwedd, ychydig yn llai na'r lorri ond mewn cyflwr da ac ynddi ddigon o le i'r peiriant golchi, y sychwr dillad a'r holl geriach yn y cefn. Felly, wedi ychydig ddyddiau, roedd yn rhaid cychwyn eto ac ymuno efo'r sioe yn Peterborough.

Cefais groeso cynnes iawn a phawb am glywed fy hanes yn Ffrainc.

'I told you you should have come to Glasgow with us,' meddai Moira gan wenu. *'We would have looked after you!'*

Mae'n rhyfedd, er bod byd y syrcas yn ymestyn ar draws y gwledydd, mae'n fyd bach yn y bôn. Am fisoedd wedyn cwrddais â pherfformwyr oedd wedi clywed hanes fy helyntion yn Ffrainc!

Yr un rhai oedd yn y cwmni â'r tymor cynt ond bod Danny, y bachgen oedd yn gwneud campau ar gefn beic, wedi gadael. Daeth ei berthynas efo Renata i ben ac arhosodd hi efo sioe Bobby i berfformio ei hact ar y rhaff uchel ac i farchogaeth yr eliffantod. Daeth pâr ifanc newydd, Paul a Julie Cook i ymuno efo ni. Roedd y ddau'n perfformio oddi ar long ofod enfawr a honno'n uchel i fyny yn nenfwd y babell – Paul yn hongian oddi ar drapîs o waelod y llong ac yn dal Julie mewn pob math o symudiadau peryglus.

Roedd Paul wrth ei fodd efo bywyd syrcas ond, er bod Julie'n berfformwraig dda, roedd hi'n casáu'r teithio a'r bywyd ansefydlog. Roedd eu gwisgoedd yn berffaith, yr offer yn dda a phob symudiad wedi ei amseru'n berffaith i fynd efo'r gerddoriaeth. I goroni'r cyfan roedd fy hen ffrind, Jock wedi ymuno efo'r sioe fel clown ac i ofalu am y babell fawr. Erbyn hyn roedd Cathy wedi rhoi'r gorau i deithio er mwyn bod gartref yn gofalu am ei mam oedrannus.

Cychwynnodd y daith yng nghanolbarth Lloegr, yna i fyny i'r Alban ac wedyn yn ôl i lawr i ogledd Cymru ar gyfer gwyliau'r haf. Roedd hwn yn dymor hapus a phawb yn cyd-dynnu'n dda. Cofiwch, roedd Bobby'n dal i ffrwydro. Creodd Renata druan un ddrama fawr am iddi wisgo gwisg werdd ar gyfer ei pherfformiad. Aeth i mewn i'r cylch, a'r goleuadau'n gwneud i bob secwin gwyrdd ddawnsio ar ei chorff. Cafodd Bobby gip arni wrth i'r llenni gau, a neidiodd o'i gadair gan weiddi,

'Get her out of there, she's wearing a fucking green costume.' Edrychodd pawb arno'n rhedeg o naill ochor y babell i'r llall.

'Get that silly cow down, Ivor, she'll break 'er fucking neck.'

Ond roedd yn rhy hwyr. Roedd Renata wedi cyrraedd nenfwd y babell ac yn gwenu'n rhywiol ar y gynulleidfa heb unrhyw syniad beth oedd yn digwydd. Daliodd Bobby i weiddi a rhegi drwy gydol yr act.

Wedi'r perfformiad camodd Renata drwy'r llenni a Bobby'n gweiddi arni,

'What the bleedin 'ell are you wearing?'

'Ah, Mister Bobby, you are liking my new costume, yes?' meddai Renata wrtho.

'No, I'm not bloody well liking it,' atebodd Bobby hi, *'and don't bloody wear it again in my show. Nobody wears green here. It'll finish us off,'* meddai.

Gwenodd Renata arno gan wisgo ei *dressing gown* amdani. Arhosodd a dweud wrth Bobby,

'Do not be a silly little sausage, Mister Bobby. Green is the colour of God, of nature. Look,' meddai,

gan bwyntio at y gwelltglas ar y llawr. '*We are standing on the green grass. How can the colour of the earth's carpet be bad?*' Gadawodd, gan adael Bobby'n crynu yn ei dymer.

Oes, mae nifer fawr o ofergoelion ymysg perfformwyr syrcas ac maen nhw'n amrywio o sioe i sioe. Doedd neb yn cael chwibanu mewn pabell syrcas. Roedd chwibanu yn galw ar y gwynt i ddod i rwygo'r babell. Doedd dim hawl gwau yn y babell ac roedd yn anlwcus gweld aderyn yn y babell hefyd. I'r teulu Roberts, roedd gwyrdd yn lliw anlwcus iawn. Fyddai neb yn cael dod â lorri neu garafán werdd, a neb yn cael gwisgo gwyrdd. Yn anffodus, doedd neb wedi dweud wrth Renata druan!

Cyn diwedd y tymor, cefais fy ngalw draw i garafán Bobby a Moira ac eglurodd Moira fod Paul ac Ivor Rosaire yn gadael ar ddiwedd tymor y gaeaf gan eu bod yn awyddus i brofi bywyd mewn syrcas arall.

'*They'll be back of course, once they realise what it's like on other shows,*' meddai, '*but until then we'd like you to take over as ringmaster.*'

Meddyliais am y peth am ychydig funudau. Roedd hi mor braf gwneud un act a dyna ni. Roedd y *ringmaster* yn gorfod gwylio'r cyfan dro ar ôl tro. Rhaid bod Moira wedi gweld yr olwg amheus ar fy wyneb, ac felly cynigiodd godiad cyflog go sylweddol i mi a derbyniais y cynnig.

Ond cyn hynny, i fyny i Glasgow. Yno, dros gyfnod y Nadolig, byddai tair neuadd yn cael eu troi'n ffair enfawr ac yn un o'r neuaddau, roedd Syrcas Bobby Roberts. Roedd cylch y syrcas yng nghanol y neuadd, seddi o'i gwmpas ac wrth gwrs stafelloedd gwisgo modern i ni. Cawson ni wythnos gyfan i ymarfer yr *acts* newydd, gan gynnwys ymarfer gyda'r band llawn. Roedd gynnon ni raglen o berfformiadau cryf oedd yn cynnwys Robert Foxhall, hen ffrind, a'i act beryglus ar y *Roman rings* a chriw o acrobatiaid o Fwlgaria. Roedd y cyfan yn llwyddiant mawr a thri pherfformiad ambell ddiwrnod. Syrthiais mewn cariad efo'r ddinas a'i phobol â'u hacen hudolus. Wedyn 'nôl i Borthmadog i baratoi ar gyfer tymor newydd a swydd newydd fel *ringmaster*.

Roedd gweithio fel *ringmaster* i Bobby Roberts yn wahanol i'r troeon cynt. Cafodd fy ngharafán ei rhoi yn y rhes flaen gyferbyn â charafán Bobby a Moira. Roedd disgwyl i mi fynd draw atyn nhw bob bore am baned i drafod pob dim. Pan na fydden nhw'n hapus efo ymddygiad neu berfformiad un o'r artistiaid, roedd yn rhaid i mi ddweud wrthyn nhw a datrys y broblem. Fel *ringmaster,* fi oedd yn gyfrifol am ddod o hyd i lwch llif ar gyfer y cylch. Doedd Moira ddim yn fodlon talu amdano, felly, byddai'n rhaid gyrru am filltiroedd cyn dod o hyd i felin lifio fyddai'n fodlon ei roi'n gyfnewid am ychydig o docynnau i'r sioe.

Dyna oedd fy mywyd am y tair blynedd nesaf. Teithio drwy'r haf ac wedyn i fyny i Glasgow ar gyfer tymor y Nadolig. Des i ddeall Bobby a Moira i'r dim a gallwn ddweud wrth edrych arnyn nhw sut hwyl oedd arnyn nhw'r diwrnod hwnnw. Yn ystod y cyfnod dechreuais helpu Moira efo rhywfaint o'r gwaith gweinyddol a fi oedd yn gyfrifol am ddelio efo'r wasg ym mhob tref. Roedd Moira'n disgwyl gweld stori ym mhob papur lleol a gwae fi os nad oedd y stori ar dudalen dde'r papur. *'Nobody ever looks at the left-hand page,'* meddai!

Mynd a dod fu hanes yr artistiaid. Daeth teulu o Bortiwgal i berfformio. Dim ond am gyfnod byr yr arhoson nhw am fod Bobby wedi gweiddi ar Marco, y mab.

'Go on, get off my show, you're not wanted here. Tell your family to piss off. You're finished.'

Edrychodd Marco arno efo dirmyg cyn dweud,

'No, I'm Portuguese,' a rhoi ei ddwrn yng nghanol ei wyneb. Un act dwi'n ei chofio'n dda oedd tad a mab o Dde America yn cerdded ac yn

dawnsio ar wifren denau yn nenfwd y neuadd. Fel *ringmaster,* roedd disgwyl i mi gerdded oddi tanyn nhw a bod yn barod i ymateb tasai rhywun yn syrthio. Doeddwn i ddim i fod i drio'u dal nhw petai damwain, eglurodd y tad, gan y byddai pwysau'r corff wrth syrthio o'r uchder yna'n siŵr o dorri 'mreichiau. Y peth gorau, eglurodd, fyddai rhoi gwthiad go hegar i'r corff wrth iddo syrthio a thorri ar gyflymder y codwm! Diolch byth, fuodd dim galw arna i i achub neb. Ond roedd fy nghalon yn fy ngheg bob tro y byddai un ohonyn nhw'n camu ar y wifren uwch fy mhen. Yn wir, welais i ddim damwain drwy gydol fy ngyrfa yn y syrcas.

Arhosais efo syrcas Bobby. Ond dechreuais deimlo 'mod i'n newid. Roedd y teithio yn mynd yn anodd a dechreuais deimlo yr hoffwn i fyw bywyd mwy sefydlog. Byddwn yn mynd i Gaerdydd ac aros efo fy ffrindiau coleg, Olwen a Gareth. Roedden nhw'n perthyn i le arbennig, yn berchen ar eu tai eu hunain ac yn mwynhau bywyd y ddinas. Nid swydd oedd gen i yn y syrcas, ond ffordd o fyw, a hynny am bedair awr ar hugain y dydd. Pan fyddai gwyntoedd cryf, byddai disgwyl i mi fod allan drwy'r nos yn gofalu am y babell. Popeth yn iawn yn ystod y blynyddoedd cynnar. Roedd gwefr y perfformio yn ddigon. Ond ar ôl deng mlynedd...

Felly, wedi dros ddeng mlynedd o fywyd syrcas, penderfynais beidio ag adnewyddu fy nghytundeb efo Bobby a Moira, a rhoddais fy mherfformiad olaf yn y cylch llwch lli ar ddiwedd y tymor yn Glasgow.

Sefais yn y cylch am y tro olaf. Fyddwn i'n teimlo gwres y goleuadau eto? Gwisgo'r wisg ddisglair? Mwynhau wynebau eiddgar y gynulleidfa? Doeddwn i ddim yn gallu dychmygu bywyd heb y syrcas. Ond, ar y llaw arall, roeddwn hefyd yn gwybod ei bod yn amser newid byd. Felly, clywais y gymeradwyaeth am y tro olaf ac wrth i'r goleuadau ddiffodd ar y cylch llwch lli, daeth y freuddwyd i ben.

PENNOD 12

EPILOG

MAE BRON I WYTH mlynedd bellach ers y perfformiad olaf hwnnw yn Glasgow. Erbyn hyn dwi'n rhan o fywyd y ddinas yng Nghaerdydd ac yn gweithio i Radio Cymru yn adeilad y BBC yn Llandaf. Am ddwy flynedd cedwais draw o'r syrcas a cholli cyswllt efo'r holl ffrindiau oedd gen i. Y funud es i 'nôl, roeddwn yn teimlo'n gartrefol ac wrth 'y modd yn sgwrsio efo pawb fel taswn i'n dal i fod yn rhan o'u byd.

Ydyn, mae Bobby a Moira'n parhau i deithio ac yn brwydro'n galed i gadw'r syrcas draddodiadol efo anifeiliaid yn fyw. Ond mae'r frwydr yn un anodd.

Mae'n wir i ddweud fod y syrcas wedi gorfod newid. Yn hytrach na dibynnu'n llwyr ar anifeiliaid gwyllt, mae sioeau heddiw yn gorfod canolbwyntio mwy ar y cynhyrchiad. Mae cynulleidfaoedd heddiw'n fwy soffistigedig nag erioed, ac felly yn gofyn am safonau uwch. Erbyn hyn mae'r dechnoleg ddiweddaraf yn golygu fod goleuadau laser a cherddoriaeth bop wedi cymryd lle'r eliffantod a'r llewod, ond gall syrcas dda barhau. Wrth i'r babell dywyllu ar gychwyn perfformiad a'r band yn taro'r nodyn cyntaf, bydd y wefr yn dychwelyd a'r ias yn rhedeg i lawr yr asgwrn cefn.

Mae fy ngwisgoedd disglair yn parhau i hongian yn y cwpwrdd gartre ym Mhorthmadog ac yn aml bydda i'n teimlo hiraeth am y goleuadau ac arogl y llwch lli. Ond wrth edrych ar y glaw a'r gwynt yn chwythu yn erbyn ffenest fy fflat, dwi'n meddwl mai aros yn y cwpwrdd fydd y secwins. Am y tro, beth bynnag.

Storïau Sydyn eraill:

Gwledydd Bychain
Bethan Gwanas

Un o gyfrolau byr a chyflym y gyfres Stori Sydyn sy'n adrodd profiadau Bethan Gwanas yn teithio yn rhai o wledydd bychain Ewrop, gan gyflwyno rhywfaint o'u hanes a'u diwylliant.

£1.99
ISBN: 9781847710369 (1847710360)

Jackie Jones

Caryl Lewis

Stori ddirgelwch yw hon am y gyfreithwraig Jackie Jones, sy'n byw ei bywyd cymdeithasol ar y we. Er cymaint yw'r hwyl mae'n ei gael ar wefan rhwydweithio cymdeithasol mae mewn peryg o golli llawer mwy ...

£1.99

ISBN: 9781847710406 (1847710409)

Operation Julie
Lyn Ebenezer

Hanes un o rwydweithiau cyffuriau mwya'r byd a oedd ar waith yng nghanolbarth Cymru yng nghanol y 70au. Mewn labordy anial ar bwys Tregaron cynhyrchwyd gwerth miliynnau o bunnau o LSD pur – gan arwain at un o'r achosion troseddol mwyaf diddorol erioed.

£1.99
ISBN: 9781847710253 (1847710255)